JOHN LENNON

JOHN LENNON

WILLIAM RUHLMANN

ÉDITIONS
HORS
COLLECTION

Traduit de l'anglais par Jacques Collin.

© 1995 Bison Books Ltd.
© 1995 Les Éditions Hors Collection, pour la traduction française.

Tous droits réservés pour tous pays.

ISBN : 2-258-04069-8
N° d'éditeur : 150
CI : 200-268-1
Imprimé en Slovénie

Page 1 : John Lennon, 9 octobre 1940 - 8 décembre 1980.

Page 2 : John à l'époque de la beatlemania, 1964.

Sommaire

Ci-dessus : en 1968, Ringo Starr,
John Lennon, Paul McCartney,
George Harrison.

Introduction

ors d'une interview accordée à David Sheff pour le magazine *Playboy* en septembre 1980, John Lennon et son épouse Yoko Ono se livrèrent longuement et abordèrent de nombreux sujets, dont le karma, ce concept du bouddhisme hindou selon lequel l'ensemble des actes de la vie d'une personne déterminent le sort qui sera le sien dans sa prochaine réincarnation. « Le Mahatma Gandhi et Martin Luther King sont deux grands exemples de non-violents extraordinaires dont la mort fut violente, ajouta John Lennon. C'est un fait difficile à assimiler. Nous sommes des pacifistes, mais qu'est-ce que cela veut dire, être un pacifiste, lorsque l'on se fait abattre ? C'est quelque chose que je n'arrive toujours pas à comprendre. »

Moins de trois mois après cette déclaration, le monde entier eut hélas l'opportunité de se poser la même question. Le 8 décembre 1980, John Lennon était abattu devant la porte de son immeuble, à New York, et personne n'a jamais réussi à comprendre pourquoi.

John Lennon était un chanteur pop, mais sa mort et son meurtre – ou plutôt son assassinat, si l'on veut utiliser

Ci-contre : John Lennon en pyjama durant l'un des bed-ins pour la paix qu'il organisa avec Yoko Ono. Il s'agit en l'occurrence du second, qui eut lieu à Montréal, la dernière semaine de mai et les deux premiers jours de juin 1969.

Page de droite : les Beatles sur scène en 1965, lors de leur deuxième tournée mondiale.

Ci-dessous : les Beatles (Ringo Starr, Paul McCartney, John Lennon et George Harrison) enregistrèrent la chanson *All You Need Is Love* le 25 juin 1967, en direct, lors d'une émission retransmise par les télévisions du monde entier.

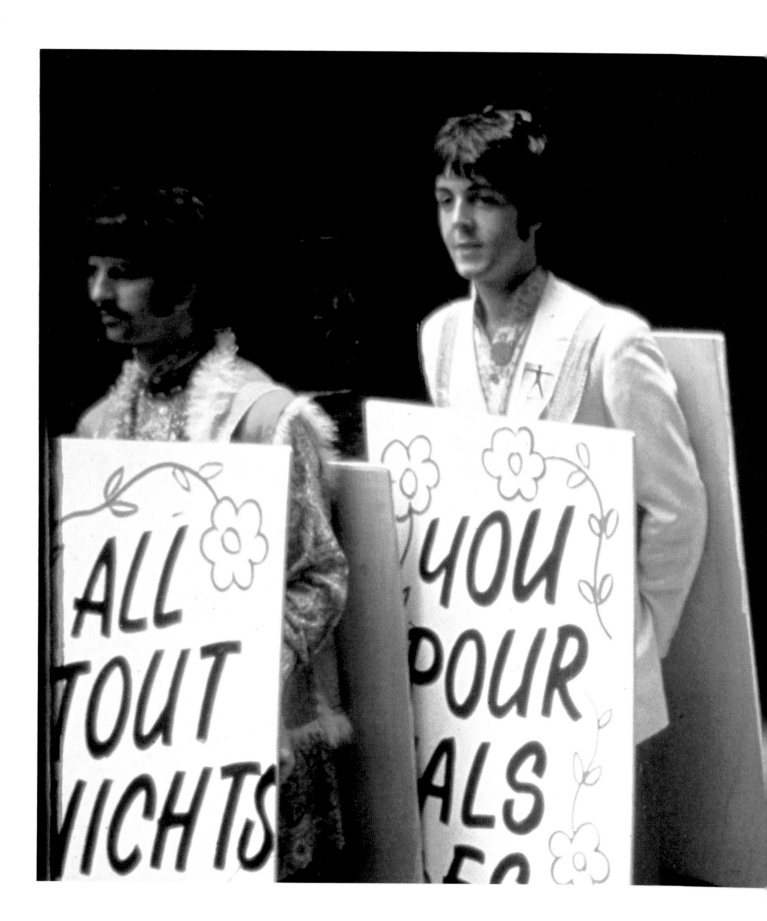

le mot exact, étant donné le mobile de l'assassin et la célébrité de la victime – firent la première page des journaux du monde entier, le titre des journaux télévisés, et la couverture de tous les hebdomadaires d'information. Une vague de stupeur parcourut le monde, des chefs d'état transmirent leurs condoléances, la peine et l'affliction du public furent immenses. Le corps de John Lennon fut incinéré et il n'y eut pas de funérailles officielles, mais la commémoration qui fut organisée dans Central Park à New York six jours après sa mort attira plus de 100 000 personnes.

John Lennon n'était pas la première star dont la disparition choquait le monde : en 1926, par exemple, l'enterrement de Rudolph Valentino manqua dégénérer en émeute. De plus, la nature violente du décès de Lennon donna à sa disparition une dimension médiatique qu'elle n'aurait peut-être pas eue s'il était mort de cause naturelle. Mais la réaction qu'elle provoqua prouve néanmoins que John Lennon était bien plus dans l'esprit du public qu'un simple chanteur : le monde n'eut pas réagi autrement au meurtre de l'un des grands de ce monde ou d'un homme politique de premier plan. Cela peut sembler tout à fait naturel à des gens de la génération de John Lennon, et pourtant il est difficile d'imaginer qu'un chanteur eût pu atteindre une telle stature avant les années soixante, ou ait pu l'atteindre depuis.

Cette importance, peut-être démesurée, est indissociable de son contexte : les Beatles rencontrèrent le succès à une époque où les médias spécialisés n'existaient pas encore. Ils créèrent leur propre public, et l'industrie du disque tout entière se développa proportionnellement et à mesure de leur succès. Ils furent à l'origine d'une branche entière des médias, et tout ce que l'on en connaît actuellement, depuis les magazines de rock jusqu'aux chaînes TV

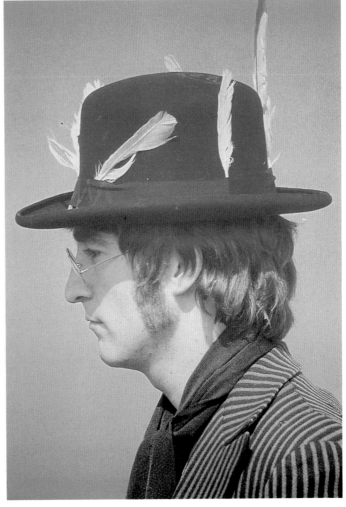

musicales, est la conséquence plus ou moins directe de leur influence. Lorsqu'ils apparurent dans les médias, ils le firent dans la grande presse et à la télévision, parce que leur succès était déjà si grand qu'il constituait un véritable phénomène. À partir de 1964, époque à laquelle ils devinrent des célébrités internationales, John Lennon et les trois autres Beatles étaient considérés comme des sujets d'actualité à part entière, autant que comme des artistes.

John Lennon, en particulier, ne perdit jamais ce statut, d'où l'écho que rencontrèrent tant ses déclarations sur le christianisme lors d'une interview en 1966 que ses prises de position politiques du début des années soixante-dix. Une fois de plus, l'époque lui était favorable : dans ces mêmes années, Mohammed Ali était déchu de son titre de champion du monde pour avoir refusé de servir au Vietnam, Jane Fonda se rendait dans un pays avec lequel les États-Unis étaient en guerre, et les étudiants des plus grandes capitales envahissaient les rues. Ce rôle de porte-parole réussissait particulièrement bien à Lennon, même si nombre de ses affirmations étaient simplistes et motivées par des raisons tout à fait personnelles. Dans l'interview de *Playboy*, Yoko expliqua : « Peut-être que John et moi éprouvons le besoin d'être pacifistes parce que... », et John termina sa phrase : « Parce que nous avons une telle violence en nous. » *Il était éloquent, sincère, et le public buvait ses paroles : un rêve de journaliste.*

Mais, comme toutes les personnes que le monde juge importantes, John Lennon était un porte-parole et un chanteur plus que populaire parce que ses pensées et ses idées, qu'elles soient révélées par des chansons ou des interviews, reflétaient et inspiraient celles de son public. Il touchait les gens si profondément, en particulier ceux dont l'enfance ou l'adolescence avaient été bercées par ses chansons, qu'il les aidait à définir ce qu'ils voulaient devenir. C'est pour cela que sa mort et sa vie eurent une telle importance pour cette génération.

This Boy, 1940-1962

La musique, comme la plus grande partie des autres arts, a de tout temps été un moyen pour quelques élus de réussir à échapper au carcan des classes sociales et du niveau d'études. Pourtant, dans le cas de John Lennon, ses origines rendaient la possibilité d'un succès mondial plus improbable encore.

John Winston Lennon est né à Liverpool, en Angleterre, le 9 octobre 1940. Son père, Freddy Lennon, travaillait pour une compagnie maritime du port, et sa mère Julia Stanley Lennon, était l'une des cinq filles d'un employé d'une compagnie de sauvetage en mer. Freddy Lennon était en mer à la naissance de John, et son mariage avec Julia ne dura pas. Lorsque John Lennon vit son père pour la dernière fois, il était âgé de quatre ans.

Le garçon ne fut pas élevé par sa mère, mais par sa tante Mimi et son mari, George Smith, qui dirigeait une crémerie à Woolton, dans la banlieue de Liverpool. John Lennon semble avoir eu l'enfance typique des classes moyennes du moment. Il entra à Dovedale Primary School, son école primaire, à l'âge de quatre ans, puis passa à Quarry Bank Grammar School, son école secondaire, à douze ans. C'est à peu près à cette époque qu'il perdit son oncle George.

Malgré un talent prononcé pour le dessin et pour la littérature, il se désinvestit de ses études dès le début de son adolescence et laissa le souvenir d'un élève très difficile. Peu après son quinzième anniversaire, quelque chose réussit pourtant à canaliser et à cristalliser son esprit de

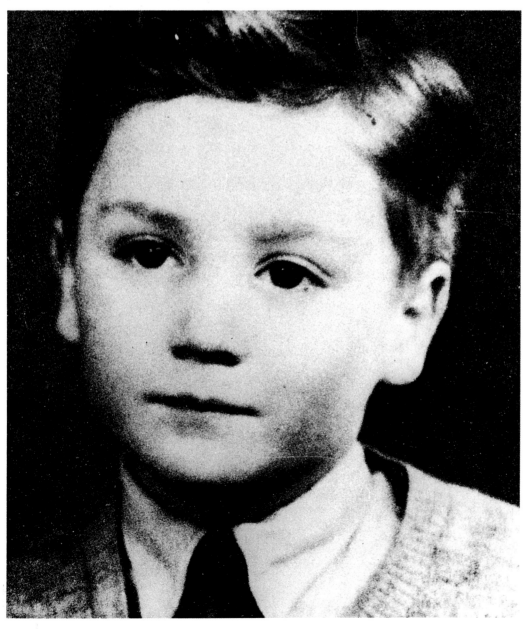

Ci-contre : un petit garçon bien sage dans les années quarante, John Winston Lennon.

15

Ci-dessus : les Beatles (George Harrison, Pete Best, John Lennon et Paul McCartney) devant le Cavern Club, à Liverpool, en 1961.

rébellion : l'immense succès en Angleterre de *Rock Around the Clock*, la chanson de Bill Haley and the Comets.

John Lennon fut toute sa vie un collectionneur de disques et répéta jusque dans sa dernière interview qu'il préférait écouter les albums de ses héros plutôt que de les voir sur scène ou même de les rencontrer. C'est pour cette même raison qu'il avait pris l'habitude, à chaque fois qu'un journaliste soulevait de nouveau la question d'une éventuelle reformation des Beatles, de répondre qu'il valait mieux que le public écoute les disques du groupe.

De l'avis de Lennon, les années 1955-1956 furent cruciales et forment le pivot de la musique pop. Le rock and roll américain gagnait ses lettres de noblesse, tandis que, dans les premiers mois de 1956, Lonnie Donegan lançait la mode anglaise du *skiffle*, grâce à une reprise méconnaissable de *Rock Island Line*. En mai 1956, le premier tube d'Elvis Presley, *Heartbreak Hotel*, entrait dans les charts britanniques.

Le rock et le skiffle eurent tous deux une influence considérable sur la jeunesse britannique en général, et sur John Lennon en particulier. Le succès de *Rock Island Line* permettait soudain aux adolescents de penser qu'il suffisait d'avoir une caisse claire, une basse électrique et une guitare à peu près accordée pour faire de la musique, tandis que Presley inspirait la mode des *teddy boys* : jeans, cuir et attitude rebelle.

Lennon s'inspira des deux mouvements, s'arrangeant pour acheter une guitare, monter un groupe avec des amis et s'habiller à la nouvelle mode, il étrennera sa nouvelle attitude à l'école, où il était loin d'être considéré comme un élève modèle. Pour la guitare, John fut aidé par sa mère qui, connaissant son goût pour la musique, lui avait enseigné ce qu'elle savait de la technique du banjo, qu'elle tenait de son mari.

Le groupe de Lennon s'appelait les Quarry Men, d'après le nom de son école secondaire, et son personnel fluctua longtemps selon les événements, à la manière de tous les groupes amateurs. Le deuxième membre permanent n'apparut que le 6 juillet 1957, lorsque Ivan Vaughan, qui avait épisodiquement fait partie du groupe, invita l'un de ses amis d'école, du nom de Paul McCartney, à voir le Quarry Men Skiffle Group sur scène, lors de la kermesse de St. Peter, l'église paroissiale de Woolton. McCartney, qui n'avait alors que quinze ans, était déjà assez bon musicien, et il impressionna les Quarry Men en leur expliquant comment accorder leurs guitares, et en montrant quelques nouveaux accords à John. Il avait déjà écrit les paroles de plusieurs chansons et fut invité deux semaines plus tard à se joindre au groupe.

Paul aimait jouer de la musique, mais conservait un goût prononcé pour la composition, deux activités généralement séparées à cette époque. C'est le succès du titre *That Will Be the Day* de Buddy Holly and the Crickets, composé par son interprète, qui fut le déclic pour Lennon ;

Ci-contre : le 17 décembre 1961, le nouveau manager des Beatles, Brian Epstein, organisa une séance de photo avec Albert Marrion, un photographe londonien spécialisé dans les mariages. Ce cliché fut la première photo professionnelle des Beatles et parut en couverture du *Mersey Beat* lorsque le groupe remporta le référendum des lecteurs du magazine, en janvier 1962.

celui-ci se mit alors au travail avec McCartney sur leurs propres compositions. McCartney présenta également à Lennon un jeune guitariste âgé de quatorze ans, George Harrisson, qui se joignit bientôt à eux.

À la rentrée 1957, John Lennon était entré à l'école des beaux-arts de Liverpool, après que sa tante Mimi eut abandonné l'idée un temps évoquée de quitter la ville. Il allait devoir partager son temps entre la musique et ses cours, ce qu'il fit dans des proportions que l'on peut facilement imaginer.

L'évolution des Quarry Men fut progressive. Durant l'année 1958, ils changèrent le nom du groupe, qui devint Johnny and the Moondogs, et gagnèrent un concours amateur. Ils perdirent en revanche Colin Hanton, leur batteur,

et le groupe permanent fut ramené à trois guitares. En 1959, le trio devint un quatuor de guitares ; grâce à l'adjonction de Stu Sutcliffe, un ami de John rencontré aux beaux-arts. Stu posait volontiers avec une basse, mais en jouait beaucoup plus rarement.

Début 1960, les batteurs et les noms se succédèrent. Johnny and the Moondogs devint les Silver Beatles, puis les Beatles, un jeu de mots en forme de néologisme sur *beetles* (les scarabées, en hommage aux grillons de *Buddy Holly and the Crickets*), et sur *beat*, le rythme. En mai de la même année, les Beatles, avec Tommy Moore à la batterie, furent engagés pour accompagner le chanteur Johnny Gentle lors d'une tournée de deux semaines en Écosse. Moore s'intégra assez bien au groupe, mais c'est avec Pete Best à la batterie que, durant l'été, les Beatles passèrent leur audition pour décrocher un emploi dans un club de Hambourg.

Ils furent ainsi engagés à l'Indra Club pour la période du 17 août au 16 octobre 1960. Ils restèrent cependant à Hambourg jusque début décembre, jouant successivement dans trois clubs, et se perfectionnant au rythme de quatre heures de concert par soir. C'est là qu'ils firent la connaissance de la photographe Astrid Kirchherr, qui leur fit découvrir la coupe de cheveux « à la française », avec une frange. (Ils l'abandonnèrent un peu plus tard, avant d'y revenir et d'en faire la base de la « coupe Beatles ».)

Leur séjour à Hambourg fut brutalement interrompu lorsque le patron du club, Bruno Koschmider, qui avait appris que les Beatles voulaient jouer dans un club concurrent des siens, s'assura de leur expulsion d'Allemagne. Mais ces quelques mois leur avaient été profitables, et ils se remirent à donner des concerts dès leur retour à Liverpool, enchaînant plusieurs salles avec succès, avant de s'installer dans un club où ils allaient se former un public fidèle, The Cavern.

Fin mars 1961, les Beatles retournèrent à Hambourg pour jouer deux mois dans un nouveau club, le Top Ten.

Stu Sutcliffe, plus artiste que musicien, quitta alors le groupe pour s'inscrire à l'école des beaux-arts de Hambourg – il décédera l'année suivante d'une tumeur au cerveau. C'est à ce moment-là que McCartney le remplaça à la basse. C'est également durant ce séjour en Allemagne, en mai 1961, que les Beatles eurent l'occasion d'enregistrer pour la première fois, avec le chanteur Tony Sheridan, pour Polydor. Ils gravèrent ainsi pour leur première apparition sur le vinyle des versions rock de plusieurs standards, dont *My Bonnie Lies Over the Ocean* et *When the Saints (Go Marchin' In)* avec Tony Sheridan au chant, *Ain't She Sweet*, chantée par Lennon, et un instrumental signé Lennon-Harrison, *Cry for a Shadow*. Les deux premiers titres furent publiés en 45 tours en Allemagne en juin 1961, mais les Beatles étaient déjà de retour en Angleterre.

Les Beatles étaient loin d'être le seul groupe de rock officiant à Liverpool : cette mode y était si puissante, au contraire, qu'elle justifiait la parution d'un magazine qui était entièrement consacré à l'activité musicale de la région. Le premier numéro de *Mersey Beat* sortit le 6 juillet 1961 et contenait un article de John Lennon qui narrait les débuts des Beatles sur un ton humoristique. Le *Mersey Beat* était en vente partout à Liverpool, et en particulier au NEMS, le North end Road Music Stores, une boutique de disques dirigée par Brian Epstein, plus exactement le département disques de l'entreprise familiale, une chaîne de magasins spécialisés dans les meubles et les postes de télévision.

Cette boutique se trouvait d'ailleurs dans le même quartier que la Cavern, ce qui rend plus surprenant encore le fait qu'Epstein n'ait toujours pas entendu parler des Beatles lorsque, en octobre, des clients lui demandèrent un exemplaire du 45 tours *My Bonnie*. Brian Epstein se renseigna et découvrit rapidement The Cavern et les Beatles. En décembre, il leur proposa à l'issue de plusieurs rencontres de s'occuper de leur carrière. Lennon et les autres acceptèrent, et le contrat fut signé le 24 janvier 1962.

Ci-contre : Brian Epstein, qui fut le manager des Beatles à partir de 1962, et le resta jusqu'à sa mort en 1967. Il les découvrit dans un club minuscule de Liverpool et les fit jouer dans des stades pleins à craquer dans le monde entier. Au plus fort de sa carrière, il s'occupait de manager des dizaines de groupes et dirigeait un théâtre dans le West End, le Drury Lane.

Ci-dessous : l'arrivée de Cliff Richard, alors en pleine gloire, à l'aéroport Idlewild de New York. Il venait aux États-Unis pour promouvoir son film *The Young Ones.* Il fut accueilli par 600 fans, mais ne réussit jamais à percer aux États-Unis. Seize mois plus tard, les Beatles atterrissaient sur le même aéroport (entre-temps rebaptisé John Fitzgerald Kennedy), et ce fut une tout autre histoire.

Les quatre musiciens et Epstein s'entendirent d'ailleurs suffisamment bien pour qu'il n'attende pas cette signature pour faire jouer ses relations dans l'industrie du disque afin d'obtenir un rendez-vous chez Decca. Les Beatles auditionnèrent dans les studios londoniens de Decca le 1er janvier 1962 et choisirent de se partager entre compositions et reprises, pour montrer l'étendue de leur répertoire. Ils jouèrent donc des morceaux aussi variés que *Sheik of Araby* et *Memphis*, ce dernier titre étant interprété par John, qui chanta également sur *Money*, *To Know Him Is to Love Him*, et *Hello Little Girl*, une composition signée Lennon-McCartney. Les Beatles étaient ce jour-là en compétition avec

Brian Poole and the Tremoloes. Les officiels de Decca n'hésitèrent pas très longtemps et choisirent de signer les Tremoloes. Ce choix était en partie dû au fait que les Tremoloes habitaient Londres, ce qui simplifiait leur travail.

Epstein put néanmoins récupérer les bandes de cette séance et les utiliser pour tenter d'intéresser une autre maison de disques. Il fit le tour de Londres, mais il n'essuya que des refus. Ce type de musique avait beau faire sensation à Liverpool, les charts nationales étaient encore dominées par des chanteurs comme Cliff Richard, Billy Fury ou Adam Faith. Seuls les musiciens qui accompagnaient Cliff Richard avaient réussi à se faire un nom en tant que groupe, puisqu'il s'agissait des Shadows, mais les Beatles ne leur ressemblaient vraiment pas du tout.

Brian Epstein ne limita pas son activité à cette prospection infructueuse et s'attaqua à la même époque à l'image du groupe, en transformant leur comportement scénique et leur apparence vestimentaire. Malgré les hauts cris de John Lennon, il leur fit porter des costumes et des cravates, insista sur la ponctualité, et proposa de nombreuses améliorations à leurs concerts. En avril, les Beatles, qui n'avaient cessé de jouer à Liverpool et dans ses environs, repartirent pour une troisième saison à Hambourg, cette fois-ci au Star Club.

Tandis que le groupe se trouvait en Allemagne, Brian Epstein continua sa prospection. Il trouva un responsable pour les droits d'édition de leurs compositions, et décrocha une audition chez Parlophone, une filiale de EMI Records, avec le producteur George Martin. L'audition eut lieu le 6 juin 1962 et fut un succès, à une exception près : George Martin annonça à Brian Epstein que Pete Best ne faisait pas l'affaire et que l'enregistrement se ferait avec un batteur studio. Lorsque débuta la première séance d'enregistrement pour Parlophone, le 4 septembre 1962, Pete Best avait déjà été remplacé par un autre batteur de Liverpool, Ringo Starr.

A Hard Day's Night, 1962-1966

John Lennon épousa Cynthia Powell le 23 août 1962, à Liverpool. La promise était enceinte (elle donna naissance à un fils, Julian Lennon, le 8 avril 1963), mais cela ne fit en réalité qu'avancer la date du mariage, plutôt que de le provoquer, comme purent le laisser supposer certains commentaires postérieurs de Lennon. Leur relation avait débuté cinq ans plus tôt, Cynthia Powell fréquentant l'école des beaux-arts de Liverpool à la même époque que Lennon, et leur concubinage était notoire à l'époque du mariage, si l'on en croit Philip Norman, le biographe de John Lennon. Nous sommes donc loin de « l'accident » auquel Lennon fit plus tard allusion, et il s'agit plutôt d'un signal bien connu des couples des années soixante, indiquant qu'il était temps d'officialiser une relation.

Les premières séances d'enregistrement pour Parlophone, qui eurent lieu les 4 et 11 septembre 1962, produisirent *Love Me Do* et *P.S. I Love You*, deux chansons qui furent publiées sur leur premier 45 tours, sorti le 5 octobre. Il

Ci-contre : **John Lennon avec ce que l'on allait appeler des bottes Beatles et une casquette Beatles. Il est assis en compagnie de sa première épouse, Cynthia Powell Lennon. Leur mariage resta un temps secret, et l'on peut remarquer que John ne porte pas d'alliance.**

s'agissait de deux compositions de Lennon et McCartney, alors que George Martin aurait préféré lancer les Beatles avec *How Do You Do It*, un titre signé par un compositeur professionnel. Le fait que les Beatles soient capables de composer leurs propres chansons était alors une nouveauté. Ils n'étaient pas les premiers, puisque certains des artistes qui les avaient influencés faisaient de même (plus particulièrement Buddy Holly and the Crickets, Little Richard et Fats Domino), mais l'immense majorité des chanteurs de l'époque préférait alors faire appel à des compositeurs professionnels.

Les premières chansons, qui étaient principalement des collaborations entre John Lennon et Paul McCartney, malgré certaines dénégations en période de brouille – Lennon finit d'ailleurs par admettre dans des interviews ultérieures qu'il avait menti lorsqu'il avait prétendu qu'ils com-

posaient séparément –, bien qu'inventives, étaient encore très conventionnelles, au moins au niveau des paroles. « À l'époque, les paroles ne comptaient pas vraiment, tant que nous avions un bon thème musical, expliqua plus tard John Lennon. Ce qui importait pour nous, c'était de trouver l'accroche, la mélodie et de reproduire le son que nous avions en tête. »

Love Me Do entra dans les charts britanniques le 11 octobre 1962 et atteignit la dix-septième place à la fin de l'année. Le groupe consacra la plus grande partie du mois d'octobre à donner des concerts à Liverpool et dans ses environs, puis repartit le 29 pour Hambourg, où ils jouèrent pendant deux semaines. Le 26 novembre, ils enregistrèrent leur deuxième 45 tours, *Please Please Me / Ask Me Why*, deux nouvelles compositions signées Lennon-McCartney. Ils donnèrent quelques concerts dans la région de Liverpool

début décembre, puis retournèrent jouer deux semaines à Hambourg, pour leur cinquième et dernier séjour en club.

Lorsque débuta l'année 1963, rien n'indiquait encore que les Beatles allaient devenir le groupe le plus célèbre de la planète. En Angleterre, les deux plus grands succès de l'année 1962 avaient été *Stranger on the Shore* d'Acker Bilk, et *I Remember You* de Frank Ifield – lequel tenait le haut de l'affiche le 2 décembre 1962 lors d'un concert à l'Embassy Cinema de Peterborough, où les Beatles, qui jouaient en première partie, firent un four –, et le moins que l'on puisse dire est que ces deux chansons n'étaient vraiment pas représentatives de la mode qui allait ravager le pays !

Please Please Me sortit le 11 janvier 1963. Le public des Beatles s'était étoffé, grâce à une mini-tournée en Écosse et à plusieurs apparitions à la radio et à la télévision. *Please Please Me* entra dans les charts le 17 janvier et atteignit la deuxième place en mars – les charts anglaises n'ayant pas encore été complètement structurées, certains calculs leur donnèrent la première place. Le 45 sortit aux États-Unis en février sur le label Vee-Jay, parce que Capitol Records, la succursale d'EMI, ne lui accordait aucun potentiel commercial.

Le succès de *Please Please Me* en Angleterre fut tel qu'il devint nécessaire d'enregistrer un album. Le 11 février, les Beatles abandonnèrent donc la tournée qu'ils faisaient en première partie d'Helen Shapiro – qui avait placé deux titres en tête des charts en 1961 –, le temps de passer une journée en studio. Ils y enregistrèrent dix titres qui, ajoutés aux quatre chansons de leurs deux 45 tours, composeraient leur premier album. Le 5 mars, ils reprirent le che-

min du studio pour y enregistrer leur troisième 45 tours, *From Me to You / Thank You Girl*.

L'album « Please Please Me » sortit le 22 mars 1963. On y trouvait quatre nouvelles compositions signées Lennon-McCartney : *I Saw Her Standing There*, *Misery*, *Do You Want to Know a Secret*, et *There's a Place*, ces deux derniers titres étant principalement dus à la plume de Lennon. Mais le moment le plus intense de l'album reste leur version écorchée de *Twist and Shout*, un titre dont les Isley Brothers avaient fait un succès aux États-Unis en 1962.

Please Please Me remporta un succès phénoménal en Grande-Bretagne. L'album entra dans les charts le 5 avril, atteignit la première place le 11 mai, et la conserva durant trente semaines. Le 45 *From Me to You*, lui, sortit le 12 avril, et entra directement en tête des charts le 1er mai – les dix 45 suivants feraient de même.

Les Beatles passèrent ainsi, en quelques mois, du statut de groupe inconnu de Liverpool à celui de première formation du pays. La transition ne se fit pas sans heurts, tout particulièrement pour John Lennon, qui acceptait plus difficilement que les autres leur nouvelle image, lisse et sage. Il manqua plusieurs concerts en mars suite à un rhume, et ne put assister à la naissance de son fils Julian : il ne se rendit à la maternité qu'une semaine plus tard, et dut venir déguisé pour éviter les fans. Sa vie changeait du tout au tout.

Ce n'était pas le seul changement. Si les Beatles avaient dû, à leurs débuts, insister pour que l'on utilisât leurs compositions, le succès qu'ils remportèrent en 1963 engendra un tout autre type de pression : il leur fallait maintenant satisfaire la demande et composer et enregistrer assez de chansons – généralement signées Lennon-McCartney – pour fournir un 45 tours tous les trois mois et deux albums de quatorze titres par an. « La demande était telle que nous n'avions plus une minute à nous, où que nous soyons, se souvient John Lennon. Nous composions des chansons en douze heures, dans des bus ou des chambres d'hôtel. »

Lennon réussit à s'adapter à cette demande, mais accepta beaucoup moins facilement d'autres exigences du métier, et tout particulièrement celles qui concernaient leur comportement en public. Fin avril, John Lennon et Brian Epstein avaient pris quelques jours de vacances en Espagne. En juin, Lennon se battit lors d'une soirée avec quelqu'un qui avait suggéré qu'il entretenait avec Epstein une relation homosexuelle. Cet incident est surtout

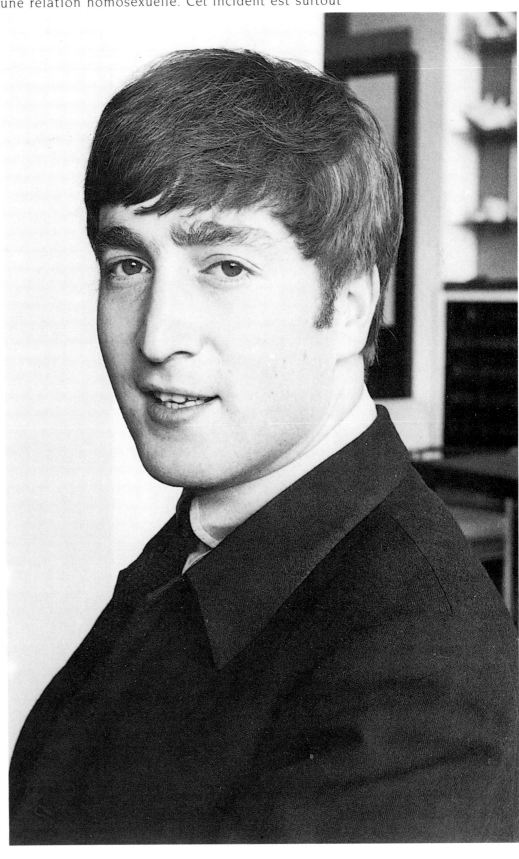

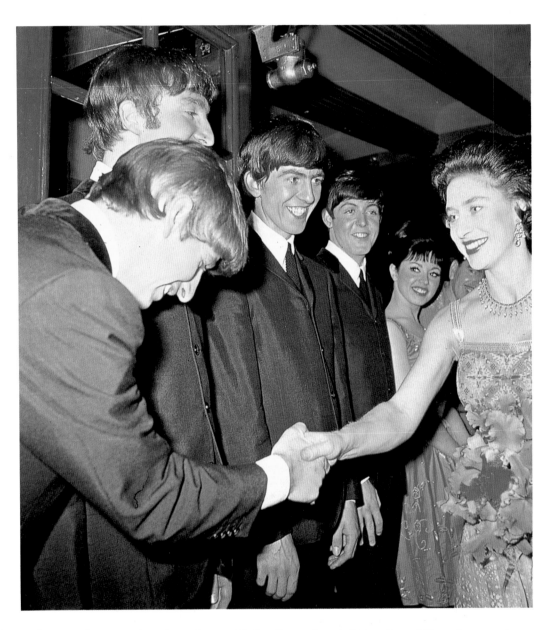

Ci-contre : les Beatles rencontrèrent la princesse Margaret à l'occasion du concert qu'ils donnèrent pour le Royal Variety Show au Prince of Wales Theatre de Londres, le 4 novembre 1963. Le concert fut retransmis par la télévision le 10 novembre.

notable parce qu'il donna lieu à la première mention des Beatles dans la grande presse. Cette mauvaise publicité n'eut heureusement aucune influence sur le succès du groupe. Le 1er juillet, les Beatles enregistrèrent leur quatrième 45 tours, *She Loves You / I'll Get You*, deux nouvelles compositions signées encore une fois Lennon-McCartney. Le 45 sortit le 23 août, entra dans les charts le 29 août, et resta quatre semaines à la première place.

Les Beatles consacrèrent beaucoup plus de temps à l'enregistrement de leur deuxième album, puisque les séances durèrent de juillet à octobre 1963. Une fois encore, l'album comprenait huit compositions originales et six reprises. L'un des originaux était signé George Harrison, et les sept autres Lennon-McCartney. Trois de ces titres peuvent sans aucun doute être attribués à John : *It Won't Be*

Long, *All I've Got to Do*, et *Not a Second Time*. Les quatorze titres sont assez rapides, mais le morceau le plus rock était une reprise chantée par John, le tube de Motown *Money*.

Les séances d'enregistrement s'étalèrent sur plusieurs mois du fait que les Beatles ne cessaient de tourner à travers le pays et de passer à la radio et à la télévision. Leur apparition la plus notable eut lieu le 13 octobre, en direct, lors du show télévisé « Sunday Night at the London Palladium », puisque c'est de ce jour, de cet événement, et de la réaction hystérique du public que date le terme *beatlemania*. Quelques semaines plus tard, un autre de leurs concerts fut retransmis à la télévision : le « Royal Variety Show », donné en présence de la reine, et durant lequel John Lennon demanda « aux gens des places à bon marché d'applaudir et aux autres de secouer leurs bijoux ».

Ci-dessus : les Beatles à l'aéroport Kennedy de New York, le 7 février 1964, à l'aube du succès phénoménal qu'ils allaient remporter aux États-Unis.

Ci-contre : publicité britannique pour le premier livre de John Lennon, qui fut publié le 23 mars 1964, alors que les charts de la planète entière leur appartenaient.

Page de droite : le London Pavilion Cinema de Picadilly Circus, à Londres, le 6 juillet 1964, le soir de la première mondiale de *A Hard Day's Night* (Quatre Garçons dans le vent). Le film surprit par sa qualité.

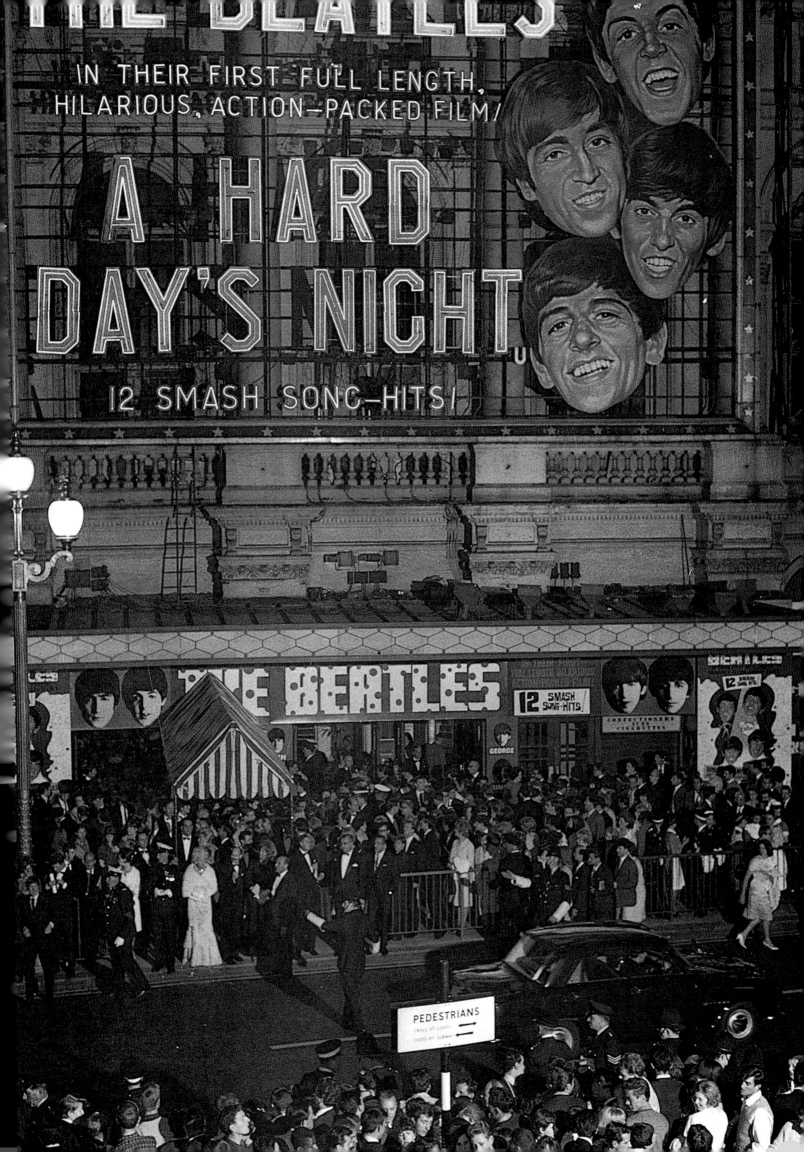

Leur deuxième album, « With the Beatles », sortit le 22 novembre 1963, et fut suivi une semaine plus tard par leur cinquième 45 tours, I *Want to Hold Your Hand / This Boy*. Tous deux furent d'immenses succès et prirent la tête des charts à leur sortie, ce qui décida finalement Capitol à publier leurs disques aux États-Unis, où les albums sortirent dans des versions abrégées et retitrées. Le 45 tours I *Want to Hold Your Hand* sortit aux États-Unis le 13 janvier 1964, alors que les Beatles venaient de conquérir la Suède et se préparaient à donner une triomphale série de concerts à l'Olympia. Lorsque les Beatles arrivèrent à New York pour leur visite aux États-Unis, qui débuta le 7 février, le 45 était fermement installé en première place des charts, et l'album – intitulé là-bas « Meet the Beatles » – l'y rejoignit une semaine plus tard.

La discographie américaine des Beatles différera de la discographie originale jusqu'en 1966 (soit l'album « Revolver », inclus), parce que le groupe publiait deux albums de quatorze titres par an et quatre 45 tours originaux, dont les chansons n'étaient généralement pas reprises sur les albums. Les Américains préféraient sortir des albums de douze titres, incluant les 45 tours. Capitol Records publia donc entre 1964 et 1966 dix albums des Beatles, correspondant aux sept albums et aux treize 45 tours originaux. La discographie française correspond à la discographie originale et ne se distingue que par quelques compilations uniques (le 25 cm « aux perruques ») et par des pochettes et appellations parfois différentes.

C'est également à cette époque – fin 1963-début 1964 –

Ci-dessous : durant les concerts, l'hystérie atteignait son paroxysme lorsque Paul McCartney, John Lennon et George Harrison partageaient le même micro pour chanter en harmonie.

que les Beatles se mirent au travail sur leur premier film, A *Hard Day's Night*, en commençant par en composer la musique. La première chanson, qui devait devenir la face A de leur nouveau 45 tours, fut enregistrée à Paris dans les studios Pathé Marconi le 29 janvier 1964 : il s'agissait de *Can't Buy Me Love*, une composition principalement due à Paul McCartney. *You Can't Do That*, la face B, qui doit beaucoup plus à Lennon, fut enregistrée à Londres le 25 février.

Les séances des 26 et 27 février permirent de mettre en boîte deux superbes compositions de Lennon : I *Should Have Known Better*, et ce qui est peut-être la plus belle balade de la première époque des Beatles, *If I Fell*. Les paroles illustrent parfaitement le style de Lennon ; en ce qu'elles conservent un aspect plus sombre, presque ténébreux ; le chanteur se lamente sur un amour perdu, mais veut également s'assurer qu'il ne refera pas les mêmes erreurs. Lennon commence à donner de l'importance à des textes qui, jusqu'ici, avaient été plus simples, et la mélodie est magnifique.

Tous les titres de l'album ne sont pas aussi achevés, ni aussi récents. Le 1er mars, les Beatles enregistrèrent une autre composition de Lennon, I'm *Happy Just to Dance with You*, qu'il laissa George Harrisson chanter. Quant à I *Call Your Name*, Lennon l'avait offerte au chanteur Billy J. Kramer, qui l'avait enregistrée un an plus tôt.

Les Beatles tournèrent leur premier film, A *Hard Day's Night*, en mars et avril 1964. Le 45 *Can't Buy Me Love* sortit le 20 mars et connut le succès habituel de chacun de leurs 45 tours. Le 23, John Lennon publia In *His Own Writer*, un livre humoristique qu'il avait illustré lui-même, et qui révéla au public un talent qui allait au-delà du simple sens de la répartie qui le caractérisait lors des interviews qu'il accordait.

La première tournée mondiale des Beatles débuta le 4 juin au Danemark. Ils ne jouaient plus dans des clubs ou des théâtres, mais dans de grandes salles, ou même dans des stades. La tournée traversa l'Europe, puis les Beatles

s'envolèrent pour l'Asie et l'Océanie. Le 6 juillet, ils étaient de retour en Angleterre, pour la première du film A Hard Day's Night. L'album du même nom sortit le 10 juillet et devait être le premier 33 tours des Beatles dont ils avaient signé toutes les compositions. Le reste du mois fut consacré à d'autres concerts et à des apparitions télévisées. Le 11 août, les Beatles enregistrèrent une nouvelle chanson de Lennon, Baby's in Black, pour l'album suivant. Le 14, ce fut le tour de I'm a Loser, également composée par Lennon, une chanson étonnamment négative pour un homme aussi célèbre et adulé.

La première tournée nord-américaine des Beatles débuta le 19 août 1964 au Cow Palace de San Francisco, et se poursuivit jusqu'au 20 septembre. Ils rentrèrent en studio dès leur retour en Angleterre et travaillèrent d'arrache-pied. Le ton un temps pessimiste de Lennon – No Reply fut enregistrée le 30 septembre – finit par laisser le pas à des titres moins sombres, et I Feel Fine (mise en boîte le 18 octobre) devint leur nouveau 45 tours. I Feel Finer/ She's a Woman sortit le 27 novembre et prit la tête des charts, tout comme l'album « Beatles For Sale » (« Beatles '65 » aux États-Unis et « 1965 » en France) qui sort, lui, le 4 décembre 1964.

Du point de vue de leur carrière, l'année 1965 sera calquée sur le modèle de 1964, et tout autant marquée par le succès. Il y aura un film (Help !), une tournée mondiale, deux nouveaux albums (« Help ! » le 6 août et « Rubber Soul » le 3 décembre 1964), et trois 45 tours, tous numéros un dans les charts. Cependant, on note des innovations du point de vue artistique, les compositions, et surtout celles de Lennon, se font plus personnelles et plus inhabituelles. De nouvelles influences se font sentir, comme celles de Dylan et de la marijuana (que Dylan leur avait fait connaître en 1964). Lennon, cette année-là, trouve surtout le moyen de mieux s'exprimer, ce qui est particulièrement sensible dans des compositions comme Help ! et You 've Got to Hide Your Love Away, (sur l'album « Help ! ») ou Norvegian Wood, Nowhere Man et In My Life (sur « Rubber Soul »).

Les Beatles étaient maintenant pris au sérieux, d'autant qu'ils avaient été nommés membres de l'Empire britannique par la reine en juin – Lennon se montra toutefois hésitant dès sa nomination et manqua rater la conférence de presse qui l'annonçait officiellement. Lennon publia en juin un deuxième livre, mêlant vers, prose et illustrations, A Spaniard in the Works. Ce n'était pas, à proprement parler, un livre sérieux, mais il était en tout cas inhabituel, rempli de dessins de nus et de personnages aux noms évocateurs, comme Jesus El Pifco (Jesus El Déconneur) ou Jack the Nipple (jeu de mots sur éventreur et mamelon, que l'on pourrait traduire par Sein Jacques).

L'année 1965 voit Lennon évoluer vers des textes plus recherchés, tandis que McCartney développe son sens de la mélodie. Si la musique du groupe en bénéficie, les personnalités sont, en revanche, de plus en plus marquées, et le dernier 45 tours de l'année sera une double face A, com-

À gauche : John à la guitare sèche et à l'harmonica pour *I Should Have Known Better*, en 1964.

Ci-contre : durant leurs tournées, les Beatles donnaient de nombreuses conférences de presse, comme ici, en août 1964 aux États-Unis. John Lennon devint vite un interlocuteur de choix pour les journalistes, qui appréciaient ses commentaires et son esprit.

Ci-dessous : les Beatles furent nommés membres de L'Empire britannique par la reine en juin 1965, mais la cérémonie officielle n'eut lieu que le 26 octobre, date à laquelle les Beatles purent exhiber leur médaille devant la presse. Lennon renvoya la sienne quatre ans plus tard.

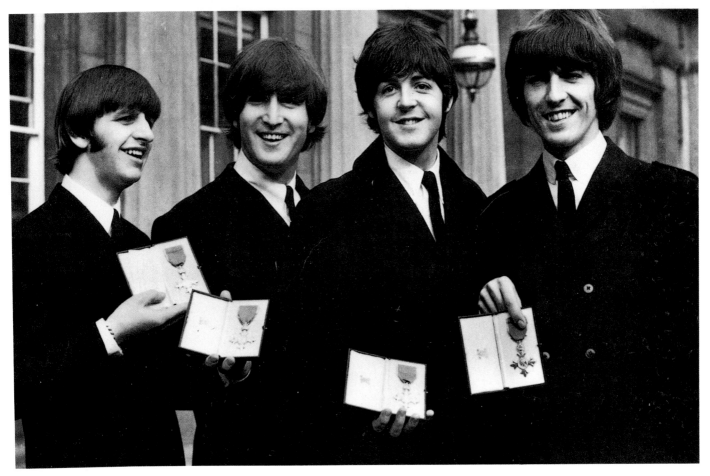

À gauche : John Lennon et George Harrison durant le show TV anglais « Ready, Steady, Go ! » en 1966. Ce fut l'une des dernières fois qu'ils jouèrent ensemble sur scène. Ils donneraient ensuite aux télévisions des films promotionnels, ancêtres des vidéo-clips d'aujourd'hui.

Ci-dessous : John Lennon, de retour à Londres le 8 juillet 1966, après une tournée très difficile en Extrême-Orient. Mais le public anglais l'aimait encore.

À droite : d'anciens fans des Beatles brûlent leurs disques lors d'un autodafé organisé par la station radio WAYX le 9 août 1966 à Waycross, en Géorgie, suite à la célèbre phrase de John Lennon : « Les Beatles sont aujourd'hui plus célèbres que Jésus-Christ. »

En bas à droite : les Beatles jouèrent devant 45 000 personnes lors du concert au Shea Stadium de New York, le 23 août 1966, durant leur dernière tournée américaine.

prenant le *Day Tripper* de Lennon et *We Can Work It Out* de McCartney.

L'année 1966 restera dans les souvenirs comme la plus difficile de la première partie de leur carrière. Comparativement aux années précédentes, ils produisirent moins. Il n'y eut pas de film, et ils ne sortirent que deux 45 tours et un seul album. Il y eut bien une tournée mondiale – l'Europe et l'Orient en juin et juillet, les États-Unis en août –, mais elle passa assez mal et fut désagréable. À Manille, le groupe dut s'enfuir parce qu'ils avaient déplu au couple Marcos, et la déclaration que Lennon avait faite dans la presse américaine, disant que les Beatles étaient plus célèbres que le Christ, provoqua des réactions très violentes aux États-Unis.

Les albums continuèrent de se vendre, bien évidemment, et tout particulièrement l'album « Revolver », sorti le 5 août, et qui comprenait entre autres des compositions expérimentales de Lennon comme *She Said*, *She Said*, et *Tomorrow Never Knows*. Mais le rythme de la « machine à faire des tubes » avait baissé : lorsque le 45 tours *Yellow Submarine* quitta les charts, son successeur n'était pas encore prêt.

D'autres événements, comme le concert de Candlestick Park, à San Francisco, le 29 août, qui fut leur dernier concert en public, vinrent confirmer ce que bien des éléments laissaient présager : rien ne serait plus comme par le passé, des changements avaient affecté tous les Beatles, et John Lennon plus encore que les autres.

I Am the Walrus, 1966-1969

Le 3 août 1966 fut rendu public le fait que John Lennon apparaîtrait dans *How I Won the War* (sorti en France sous le titre *Comment j'ai gagné la guerre*), un film non musical mis en scène par Richard Lester, qui avait déjà signé les deux comédies des Beatles. Lennon s'envola le 5 septembre pour Celle, en république fédérale d'Allemagne, afin de commencer le tournage, qui l'entraîna ensuite à Carboneras, en Espagne.

John Lennon a souvent déclaré que c'est au cours des deux mois qu'il passa sur ce tournage, loin des autres Beatles, qu'il commença à réfléchir à un éventuel départ. Mais l'homme qui avait écrit « Je sais que je suis prêt à partir » (*I know that I 'm ready to leave*, dans la chanson *She Said, She Said*) ne l'était pas vraiment. En revanche, et sans avoir pour autant l'intention de devenir acteur, John Lennon outrepassait déjà le rôle conventionnel de musicien pop.

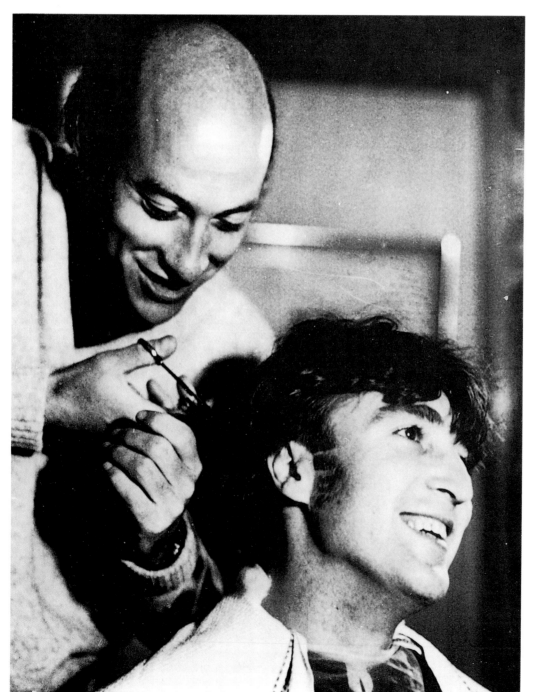

Ci-contre : le 6 septembre 1966, John Lennon se fit couper les cheveux pour le tournage du film *How I Won the War.* Le coiffeur n'est autre que Richard Lester, le metteur en scène de ce film, qui signa également *A Hard Day's Night* et *Help !*

En haut à droite : John Lennon, cheveux courts et lunettes, durant l'une des scènes de *How I Won the War* tournées à Carboneras, en Espagne.

En bas à droite : toujours durant le tournage de *How I Won the War.* On pourrait croire d'après toutes ces photos qu'il tenait le premier rôle de cette farce absurde et pacifiste, mais ce n'était pas le cas : celui-ci était tenu par Michael Crawford, qui fut ensuite la vedette de la comédie musicale *Phantom of the Opera.*

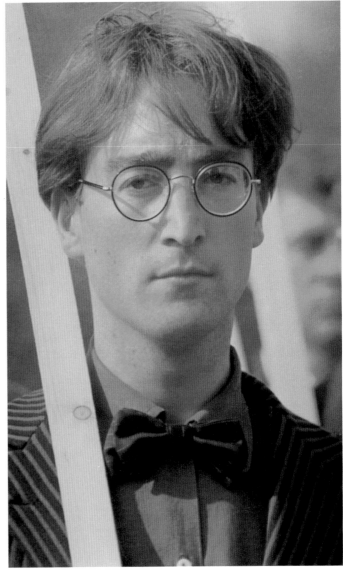

L'un des changements les plus évidents concerna son apparence physique. Il se fit couper les cheveux pour ce film et dut également porter une paire de lunettes militaires rondes. Lennon avait toujours été effroyablement myope, mais n'avait jusqu'ici jamais accepté de porter des lunettes. Après ce film, il ne serait pour ainsi dire plus photographié sans elles.

Bizarrement, les trois autres Beatles changèrent leurs habitudes et leur apparence à la même époque, mais pour d'autres raisons : Ringo Starr se laissa pousser la barbe et s'enferma chez lui avec sa femme, George Harrison se laissa pousser la moustache et alla passer deux mois en Inde pour étudier le sitar avec Ravi Shankar, et Paul McCartney, qui avait également choisi la moustache, composa la musique du film *The Family Way*.

Durant le tournage de *How I Won the War*, John Lennon écrivit l'une des plus belles chansons de sa carrière, *Strawberry Fields Forever*. C'est pour enregistrer ce titre que les Beatles se réunirent à nouveau le 24 novembre 1966. Tout comme dans *Tomorrow Never Knows*, John Lennon invitait l'auditeur à partir en voyage avec lui, la musique, qui incluait un mellotron – version primitive d'un synthétiseur – et nombre d'effets spéciaux, ne faisant qu'amplifier l'aspect onirique des paroles. Le résultat fut concluant, mais nécessita de nombreuses prises : les Beatles travaillèrent en studio sur ce titre les 24, 28 et 29 novembre et les 8, 9, 15, et 21 décembre. Le 22 décembre, George Martin monta la version finale de la chanson à partir de deux prises distinctes, dont l'une dut être ralentie. Un mois avait donc été nécessaire pour enregistrer *Strawberry Fields Forever*.

Il semble que les Beatles aient un instant été tentés de préparer un album pour la Noël 1966, mais ce projet fut finalement abandonné – ils se contentèrent d'une compilation de 45 tours, A *Collection of Beatles Oldies*, qui sortit le 9 décembre. On imagine d'ailleurs mal comment cela aurait été possible en se mettant au travail à la mi-novembre. Quoi qu'il en soit, et n'étant plus pressés par la tournée

Ci-contre : John Lennon au printemps 1967, à l'époque de *Sgt Pepper's Lonely Hearts Club Band.*

suivante, ils décidèrent de prendre autant de temps qu'il leur semblerait nécessaire pour réaliser l'album suivant, et la durée inhabituelle de l'enregistrement de *Strawberry Fields Forever* est le parfait exemple de cette nouvelle attitude (ce n'est d'ailleurs pas un cas unique : ils consacrèrent, à la même époque, à peu près autant de temps à la réalisation d'une composition de McCartney, *When I 'm Sixty Four*).

L'autre événement notable dans la vie de John Lennon en cet automne 1966 fut sa première rencontre avec Yoko Ono. Celle-ci eut lieu le 9 novembre, deux jours après son retour d'Espagne, dans la galerie Indica de Londres, où Yoko exposait ses œuvres sous le titre « Unfinished Paintings and Objects ». Leur première rencontre ne prêta pas à conséquences, sinon qu'ils se revirent de plus en plus souvent durant les dix-huit mois qui suivirent.

Les Beatles poursuivirent leur travail sur le nouvel album durant les premiers mois de 1967, mais durent en extraire *Strawberry Fields Forever* et *Penny Lane*, une composition de McCartney, sous la pression de leur maison de disques. Sorti le 17 février 1967, *Penny Lane / Strawberry Fields Forever* fut peut-être le 45 tours le plus encensé de l'histoire de la musique, et ce fut paradoxalement le seul 45 des Beatles depuis *Please Please Me* à ne pas atteindre la première place des charts britanniques, un accident qui ne se reproduirait plus jusqu'à la séparation du groupe (*Penny Lane* ne se classa qu'à la deuxième place et fut tout de même numéro un aux États-Unis).

La contribution de John Lennon à l'album le plus célèbre de la musique pop, « Sgt Pepper's Lonely Hearts Club Band » (sorti le 1er juin 1967), comprend plusieurs chan-

Ci-contre : les Beatles accompagnent le maharishi Mahesh Yogi après avoir assisté à l'une de ses conférences sur la méditation à Bangor, au Pays de Galles, le 27 août 1967.

Ci-dessous : le maharishi avec John Lennon et d'autres fidèles (dont Mike Love, des Beach Boys, sous le chapeau safari), à Rishikesh, en Inde, où les Beatles vinrent poursuivre leur apprentissage de la méditation. Ringo Starr partit au bout de deux semaines et Paul McCartney après un mois, mais George Harrison et John Lennon y passèrent les mois de février, mars et avril 1968.

sons insolites et imagées, dont *Lucy in the Sky with Diamonds,* B*eing for the Benefit of Mr Kite* – dont les paroles ont été inspirées par une affiche de cirque –, et A *Day in the Life,* où il est fait allusion, entre autres, à un ami mort et aux nids-de-poule de la région de Blackburn. Le concept de *Sgt Pepper's Lonely Hearts Club Band* est dû à Paul McCartney, mais John Lennon a bien composé certaines des plus belles chansons de l'album.

Pour le public, qui ne connaissait alors que la version officielle, les Beatles, dont l'évolution au niveau le l'apparence et de la musique était évidente, avaient au moins le mérite de changer ensemble. S'ils portaient des tenues hippies et des moustaches, ils s'y mettaient tous. S'ils s'intéressaient au maharishi Mahesh Yogi, le célèbre gourou hindou, et l'accompagnaient dans sa retraite, comme ils le firent en août 1967, ils y allaient ensemble.

La mort de leur manager, Brian Epstein, le 27 août 1967, eut sur le groupe un effet dévastateur, même si son rôle s'était amoindri depuis que les Beatles ne donnaient plus de concerts, et la situation ne fit qu'empirer lorsque le téléfilm qu'ils avaient produit pour la Noël 1967, *Magical Mystery Tour,* fut accueilli par une volée de bois vert. *Magical Mystery Tour* était un projet de Paul McCartney, assez révélateur de la direction qu'avait prise le groupe. Paul en était

devenu le leader, alors que les Beatles avaient longtemps été considérés, du moins à leurs débuts, comme le groupe de John Lennon.

John semblait n'avoir aucune intention de s'opposer à cet état de fait. Après que l'une de ses compositions, *All You Need is Love,* fut devenue le premier 45 tours des Beatles post-*Sgt Pepper,* il ne composa plus une seule face A pendant près de deux ans, tout en occupant les faces B la plupart du temps. Il semble surtout que les Beatles aient à cette époque cessé d'être sa principale préoccupation, sans qu'il abandonne le groupe pour autant : il suivit Paul sans rechigner dans l'aventure d'Apple et dans bien d'autres affaires.

Son principal centre d'intérêt était devenu Yoko Ono. En une nuit, le 19 mai 1968, tous deux consommèrent leur union et enregistrèrent leur premier album, « Unfinished Music N°1 - Two Virgins », qui est plus célèbre pour sa pochette, sur laquelle ils posent nus, que pour les vingt-neuf minutes de sons expérimentaux gravés dans ses sillons. Dès lors, le couple fut apparemment inséparable et fit sa première apparition publique le 22 mai 1968, lors du cocktail d'ouverture de la boutique Apple, un magasin de prêt-à-porter financé par les Beatles.

Le 30 mai, les Beatles rentrèrent en studio pour la première séance de l'album suivant, durant laquelle ils enregistrèrent une nouvelle composition de John, *Revolution.*

John en profita pour présenter Yoko au personnel d'Abbey Road. Elle devint à partir de ce jour-là la seule personne dont la présence fut constante lors des enregistrements des Beatles, et qui ne soit ni l'un d'entre eux, ni un technicien, ni le producteur.

La première de *Yellow Submarine* eut lieu le 17 juillet, en présence de John et de Yoko, ainsi que des trois autres Beatles. Ce dessin animé étant considéré comme le troisième film des Beatles, il permit de clore leur contrat avec United Artists et les libéra de leurs obligations.

Les séances d'enregistrement de l'album suivant se poursuivirent durant tout l'été, alors que, le 22 août, Cynthia Lennon demandait le divorce sur la base de la relation adultérine de John avec Yoko Ono. John Lennon ne nia pas, et le divorce leur fut accordé le 8 novembre.

Les séances d'enregistrement de l'album « The Beatles », plus connu sous le nom d'album blanc, ne se terminèrent que le 14 octobre 1968, et le mixage était encore en cours lorsque, le 18, John et Yoko furent arrêtés pour possession de marijuana. Une semaine plus tard, ils annoncèrent que Yoko était enceinte. Elle dut malheureusement être hospitalisée en novembre et fit une fausse couche. Durant toute la durée de son hospitalisation, Lennon resta avec elle et dormit dans sa chambre, dans un sac de couchage. Ils enregistrèrent plusieurs bandes – dont les battements de cœur du fœtus –, que l'on retrouverait sur leur deuxième album.

« Unifinished Music N°1 - Two Virgins » sortit le 29 novembre 1968, le lendemain du jour où Lennon plaida coupable face à l'accusation de possession de marijuana, et une semaine après la sortie de l'album « The Beatles » (sorti, lui, le 22). Le double blanc révéla à ceux qui en doutaient encore que les Beatles évoluaient dans des directions différentes. L'expérimentation de *Revolver* et de *Sgt Pepper* avait fait place à une instrumentalisation plus rock, mais les compositions en elles-mêmes, et en particulier celles de Lennon, étaient loin de constituer un retour à l'académisme. Il contribua à cet album de façon marquante, par des chansons aussi différentes que, entre autres, *Happiness is a Warm Gun*, le collage *Revolution 9*, et *Julia*, une ballade autobiographique dédiée à sa mère, qui augurait par son texte et son ambiance musicale de ce qu'allait être son premier album solo deux ans plus tard.

Par ailleurs, John et Yoko continuèrent à organiser des « événements », et apparurent dans un sac blanc sur la scène du Royal Albert Hall le 18 décembre, pour la soirée de Noël donnée par le mouvement d'art underground.

Le 2 janvier 1969, les Beatles se mirent au travail sur un nouvel album, et en profitèrent pour filmer leurs répétitions en vue d'un long métrage documentaire. L'idée, due encore une fois à McCartney, était celle d'un retour aux sources (*Get Back*, qui devait au départ être le titre de l'album, qui paraîtra ultérieurement sous le titre « Let it be »), aux premières années du groupe. Ils enregistrèrent donc *One After 909*, l'une des premières compositions du duo Lennon-McCartney, et posèrent pour une photo identique à la pochette de l'album « Please Please Me » et lui faisant pendant. Cette photo fut finalement utilisée sur la pochette de l'album bleu, la compilation des années 1967-1970, et l'idée de base fut conservée, puisque la photo de « Please Please Me » fut utilisée pour l'album rouge couvrant leurs premières années. Les séances d'enregistrement durèrent un mois, mais ne fournirent pas suffisamment de matériel pour un album, et la tension entre les membres du groupe atteignit de nouveaux sommets.

John Lennon continua de mêler sa vie privée et ses activités musicales, et accompagna à la guitare les ululements de Yoko Ono lors du festival de Jazz d'avant-garde de Cambridge, le 2 mars 1969. Leur performance fut enregistrée et figura, avec les bandes de l'hôpital, sur le deuxième album du couple, « Unfinished Music N°2 - Life with the Lions », qui sortit en mai de la même année.

À gauche : **Yoko Ono, Julian Lennon (âgé de cinq ans), et John Lennon, durant l'enregistrement et le tournage de ce qui allait devenir** *Let It Be,* **en janvier 1969.**

Ci-dessous : **John et Yoko avec leur certificat de mariage, à Gibraltar. Le 20 mars 1969, ils quittèrent l'Angleterre pour Paris, puis prirent l'avion pour Gibraltar. Ils y passèrent soixante-dix minutes et se marièrent au consulat britannique.**

Le 20 mars 1969, John Lennon et Yoko Ono se marièrent à Gibraltar. Le 25, ils s'installèrent dans la chambre 902 de l'hôtel Hilton d'Amsterdam, pour un « bed-in » pour la paix qui dura sept jours. Il s'agissait, plus prosaïquement, d'une conférence de presse marathon, donnée depuis leur lit, et durant laquelle ils prêchèrent le pacifisme de manière presque ininterrompue. Ils furent la risée d'une bonne partie de la presse, mais Lennon, qui maîtrisait parfaitement les médias, répondit à ses détracteurs qu'il n'était pas forcément mauvais de vendre la paix comme un produit commercial.

« Lorsque, au début de notre vie commune, nous avons commencé à travailler ensemble, expliqua Lennon

dans l'une de ses dernières interviews, tout ce que nous avons fait, que ce soit des bed-ins, des affiches ou des films, mêlait nos deux influences. Nous avons simultanément découvert et exploré l'activité de l'autre, comme un musicien qui passe de la country à la pop. Nous avons mêlé l'avant-garde et le rock and roll. Nous cherchions nos points communs et voulions découvrir ce qui nous intéressait tous les deux. Nous étions tous deux fascinés et stimulés par l'expérience de l'autre. »

Les Lennon semblaient vouloir utiliser leur mariage pour faire connaître leur art et promouvoir la paix. Le 1er avril, ils retournèrent à Londres et firent une apparition lors d'un show télévisé, durant laquelle ils s'enfermèrent de nouveau dans un sac blanc. Le 21 avril, ils formèrent une société du nom de Bag (« sac ») Productions, Ltd. Le 22, John Lennon fit officiellement ajouter Ono à son nom. Ils enregistraient alors leur troisième disque « Wedding Album » comportant un morceau de vingt-deux minutes *John and Yoko* durant lequel ils ne faisaient que répéter le prénom de l'autre.

Étonnamment, les séances d'enregistrement de l'album des Beatles se poursuivirent malgré tout, et un 45 tours put même sortir. Il s'agissait de *The Ballad of John and Yoko*, que Lennon et McCartney enregistrèrent seuls le 14 avril. Le fait que McCartney ait accepté d'enregistrer une chanson aussi égocentrique et d'en faire la face A d'un 45 tours donne une

idée des concessions qu'il était à l'époque prêt à faire à Lennon pour que le groupe continue à exister. Lorsque *The Ballad of John and Yoko* sortit (le 30 mai 1969, avec *Old Brown Shoe* en face B), il prit la tête des charts en Angleterre, mais la mention du Christ dans les chœurs et la résistance qu'elle entraîna dans les radios américaines en firent le 45 des Beatles le plus mal classé aux États-Unis des cinq dernières années.

Ils décidèrent d'organiser un nouveau bed-in en mai. Il devait avoir lieu aux États-Unis, mais la condamnation de Lennon pour possession de stupéfiants empêcha son entrée dans le pays. Ils choisirent Montréal, et leur second bed-in eut lieu du 26 mai au 2 juin. Le 1er juin, dans une chambre remplie d'amis et de journalistes, ils enregistrèrent *Give Peace a Chance*. Le 45 fut publié en juillet, sous le nom Plastic Ono Band. *Give Peace a Chance* était signée Lennon-McCartney, établissant publiquement pour la première fois un fait qui était déjà évident : leur partenariat était devenu une fiction.

Les Beatles enregistrèrent la plus grande partie de leur dernier album, « Abbey Road », en juin et juillet, utilisant également des bandes antérieures ; la dernière séance de mixage eut lieu le 20 août 1969. Il n'existe pas de date officielle de la séparation des Beatles. Mais à partir de ce 20 août 1969 John Lennon, George Harrison, Paul McCartney et Ringo Starr ne se trouvèrent plus jamais ensemble. Il leur arriva encore de se réunir, mais, en tant que groupe musical, les Beatles avaient *de facto* cessé d'exister.

John Lennon était entre-temps devenu un sujet de controverse, et les résultats de *Give Peace a Chance* dans les charts étaient loin de rassurer quant à sa capacité à plaire à un public assez important pour soutenir la campagne que le couple désirait mener en faveur de la paix et de l'art d'avant-garde. Après avoir atteint des sommets de popularité sans précédents pour un artiste, Lennon prenait un nouveau départ.

Instant Karma, 1969-1975

En un sens, la carrière solo de John Lennon était déjà bien avancée en septembre 1969, bien qu'il eût fait vendre plus de journaux que de disques, une tendance qui se poursuivit encore quelque temps.

L'activité de John et Yoko en cette fin d'année 1969 fut intense. Durant la semaine du 11 septembre, ils présentèrent deux films à l'Institut d'art contemporain de Londres, l'un étant intitulé *Rape* (viol), et l'autre *Self-Portrait* (autoportrait). *Self-Portrait* était une étude filmée du pénis de John, et durait quarante-deux minutes.

Le 12 septembre, Lennon fut invité au festival Rock'n'Roll Revival de Toronto. Il accepta, appela quelques amis à la rescousse, et prit l'avion. Alors que McCartney n'avait pas réussi à faire remonter Lennon sur scène avec les Beatles, le Plastic Ono Band, composé d'Eric Clapton à la guitare, de Klaus Voormann à la basse,

d'Alan White à la batterie, de John et de Yoko, donna son premier concert le soir du 13 septembre 1969 au Varsity Stadium de Toronto. Ils jouèrent des vieux standards du rock, *Yer Blues* de l'album blanc, et une nouvelle composition de Lennon, *Cold Turkey*, qui relate les affres du manque durant une cure de désintoxication, plus deux excursions vocales de Yoko.

Cette expérience enthousiasma Lennon au point qu'il annonça aux autres Beatles, lors d'une réunion qui se tint à Londres le surlendemain, qu'il désirait quitter le groupe. Il se laissa néanmoins convaincre de garder sa décision secrète pour un temps, parce que Allan Klein, qui avait été nommé manager des Beatles par trois d'entre eux (John, George et Ringo), était en pleine renégociation du contrat du groupe avec Capitol Records.

Le 25 septembre, Lennon enregistra la version studio

En bas à gauche : Yoko Ono et John Lennon lors du festival Rock'N'Roll Revival de Toronto, le 13 septembre 1969. Un mois plus tôt, Lennon avait été invité à Woodstock, mais les organisateurs avaient insisté pour qu'il vienne avec les autres Beatles plutôt qu'avec sa femme, ce qui avait entraîné son refus.

Ci-contre : John et Yoko à Tittenhurst Park, à l'automne 1969.

de *Cold Turkey* et se mit au travail sur le mixage des bandes du concert de Toronto, pour en faire un album live.

Le lendemain, Apple Records sortit l'album « Abbey Road », qui contenait de superbes compositions de Lennon, comme *Come Together* et *I Want You* (*She's So Heavy*), ainsi que le célèbre medley de la deuxième face arrangé par Paul McCartney et George Martin.

« Abbey Road » battit tous les records, dont celui des pré-commandes, et devint l'album des Beatles le plus vendu de leur discographie.

En octobre, Yoko fut de nouveau hospitalisée pour des complications dans sa grossesse, et fit une deuxième fausse couche le 12 octobre, quelques jours avant la sortie

de *Cold Turkey*, le deuxième 45 tours du Plastic Ono Band. Celui-ci atteignit la douzième place des charts britanniques le 29 novembre, mais Lennon fut déçu de ce résultat, au point que, lorsqu'il renvoya sa décoration de membre de l'empire britannique à la reine le 25 novembre, en citant comme raisons l'engagement du Royaume-Uni au Biafra et le soutien anglais à la guerre du Vietnam, il y ajouta le manque de succès de son dernier 45 tours.

Le troisième album du couple Ono-Lennon, le coffret « Wedding Album », qui était sorti le 7 novembre, eut moins de succès encore. Il n'atteignit que les dernières places de charts américaines et n'entra même pas dans les charts britanniques. L'album « Live Peace in Toronto », qui

Ci-contre : John Lennon et Yoko Ono posent avec les parents de James Hanratty, un condamné à mort qui fut exécuté et dont ils soutinrent la cause en décembre 1969.

En bas à gauche : John Lennon lors du concert « Peace for Christmas » au London Lyceum, le 15 décembre 1969.

En haut à droite : en 1969, les supergroupes étaient à la mode, et celui qui fut réuni pour le concert « Peace for Christmas » était impressionnant : (*de gauche à droite*) Jim Price, Bobby Keys, Eric Clapton (*au centre, en manteau long*), Delaney et Bonnie Bramlett, Yoko Ono, Jim Gordon à la batterie, John Lennon et Billy Preston.

En bas à droite : John et Yoko lors d'une conférence de presse à Toronto, le 22 décembre 1969. Lennon tient un « sac de rire », qui glousse et rit grâce à un enregistrement. Qui a dit que John et Yoko n'avaient aucun sens de l'humour ?

sortit un mois plus tard, eut de meilleurs résultats, au moins aux États-Unis : il grimpa jusqu'à la dixième place et se vendit à près d'un demi-million d'exemplaires.

L'activité des Lennon ne décrut pas pour autant. Le 9 décembre, ils déclarèrent leur opposition à la peine de mort en soutenant la cause de James Hanratty, un meurtrier qui avait été condamné et exécuté, et au sujet duquel ils prévoyaient de réaliser un film qui prouverait son innocence. Le 14 décembre, ils s'enfermèrent – s'il s'agit vraiment d'eux – dans un sac blanc portant la mention « manifestation silencieuse à la mémoire de James Hanratty » au Speaker's Corner de Hyde Park à Londres.

Le lendemain, Lennon participa au concert « Peace for Christmas » (Paix pour Noël), donné au profit de l'UNICEF par le Plastic Ono Supergroup, qui comprenait des membres de Delaney & Bonnie & Friends, dont George Harrison et Eric Clapton. Ils jouèrent sous une immense affiche qui proclamait *War is over* ! (La guerre est finie !). Le même message fut placardé sur les murs de onze grandes villes du monde dès le lendemain. John et Yoko trouvèrent enfin à cette époque un début de reconnaissance : le 17 décembre, ils s'envolèrent pour leur troisième visite au Canada – où ils devaient préparer un festival, prévu pour l'été, mais qui fut finalement annulé – et furent reçus le 23 par le Premier ministre canadien, Pierre Trudeau.

Les Lennon passèrent le Jour de l'An au Danemark, chez Tony Cox, le premier mari de Yoko, puis, le 5 janvier 1970, John annonça que la totalité de ses revenus à venir serait consacrée à la promotion de la paix sur terre. Le 15 janvier eut lieu à la London Arts Gallery le vernissage d'une exposition de lithographies de John Lennon, cependant, certaines de ces œuvres, jugées pornographiques, furent saisies dès le lendemain. Deux semaines plus tard, John et Yoko se coupèrent les cheveux et les vendirent aux enchères au profit du leader du mouvement noir anglais,

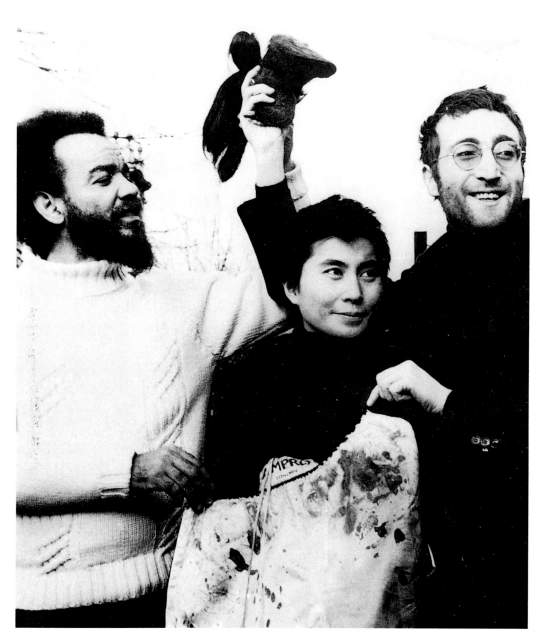

Michael Malik, qui se faisait appeler Michael X. Les Lennon soutinrent d'ailleurs Malik jusqu'à sa condamnation pour meurtre et son exécution à Trinidad, en 1974.

Dans la seule journée du 27 janvier 1970, John Lennon écrivit, composa, enregistra, et mixa la chanson *Instant Karma* ! George Harrison joue sur le disque, qui fut produit par Phil Spector, le légendaire créateur du *Wall of Sound* du début des années soixante. Lennon et Harrison furent tellement impressionnés par son travail – les Beatles avaient toujours été des fans du groupe soul produit par Spector, les Ronettes –, qu'ils lui demandèrent de tirer un album des bandes de *Get Back*, une tâche à laquelle s'était précédemment attelé Glyn Johns, mais dont le travail ne leur donnait pas satisfaction. Cette mission était d'autant plus urgente que Klein avait signé un contrat avec United Artists, qui devait distribuer le film tourné durant l'enregistrement de ces bandes. Spector accepta, et il en résulta l'album « Let It be ».

Le 45 tours *Instant Karma* ! sortit en février. Il grimpa jusqu'à la quatrième place des charts en Angleterre, et la troisième aux États-Unis, prouvant ainsi que, lorsqu'il se décidait à enregistrer une chanson pop-rock traditionnelle, même avec un message politique, elle pouvait avoir du succès auprès du public. Toujours en février, les Lennon poursuivirent leurs activités politiques et payèrent les amendes imposées à un groupe de manifestants qui avait protesté contre l'organisation d'un match de rugby contre l'équipe d'Afrique du Sud. En mars, Yoko fut de nouveau hospitalisée et fit une nouvelle fausse couche.

En avril, tandis que Paul McCartney rendait publique lors d'une conférence de presse la séparation des Beatles, John Lennon découvrit *The Primal Scream* (*Le Cri primal*), livre du psychothérapeute Arthur Janov, selon lequel il convient de revivre les événements douloureux de son enfance à travers des hurlements et des pleurs. Lennon contacta Janov, qui prit l'avion pour l'Angleterre, puis, le 23 avril, John et Yoko s'envolèrent pour Los Angeles, pour y poursuivre leur cure de thérapie primale. Bien que Lennon ait plus tard désavoué Janov, cette expérience lui permit sans doute d'écrire les chansons autobiographiques de son premier album solo. Fin septembre John et Yoko étaient de retour dans les studios EMI, où ils enregistrèrent chacun un album.

L'album « John Lennon / Plastic Ono Band », qui sortit en tandem avec « Yoko Ono / Plastic Ono Band » le 11 décembre 1970, est l'album le plus remarquable de la carrière solo de Lennon. De la première à la dernière ligne, l'album exprime l'introspection typique d'une psychothérapie et l'honnêteté et la lucidité habituelles de Lennon. *Working Class Hero* est franchement autobiographique, tout comme *Mother* et *My Mummy's Dead* (Ma maman est morte), et *God* exprime son rejet de toutes les croyances à l'exception de la foi en soi-même. La musique est à la fois limpide et austère, et n'est jouée que par un trio, composé de John Lennon, de Ringo Starr à la batterie, et de Klaus Voormann à la basse.

L'album fut encensé par la presse rock, et Lennon en assura la promotion de façon très sérieuse, accordant en

Ci-contre : le 30 octobre 1970, George Harrison et le producteur Phil Spector écoutent la version finale du premier album solo d'Harrison, « All Things Must Pass », qu'ils venaient d'enregistrer. Spector travailla beaucoup à cette époque sur des projets des Beatles, de Lennon et de Harrison.

Ci-dessous : le nouveau look de John et Yoko au début de l'année 1970.

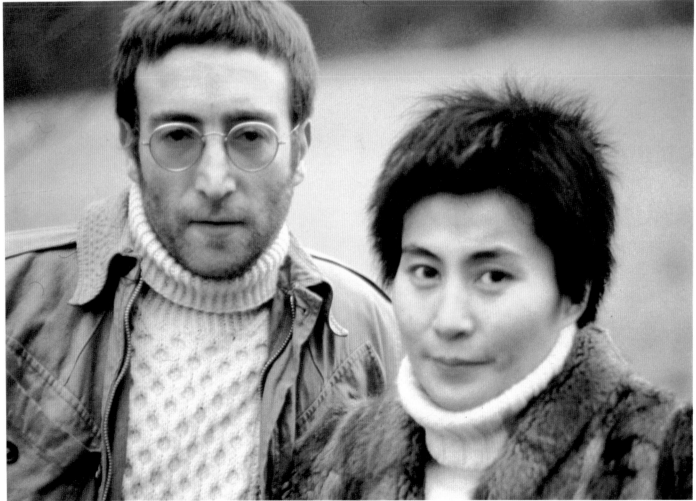

53

particulier une longue interview au magazine *Rolling Stone*, qui fut rééditée en livre de poche sous le titre *Lennon Remembers*. *John Lennon / Plastic Ono Band* atteignit la onzième place des charts britanniques, et la sixième des charts américaines. Aucun 45 ne fut extrait en Angleterre, mais *Mother* sortit aux États-Unis et atteignit la quarante-troisième place des charts.

Après cette introspection, Lennon revint à la politique. Le 22 janvier 1971, il enregistra un nouveau 45 tours, *Power to the People* (Le Pouvoir au peuple). Il s'agissait d'une prise de position bien plus forte que tout ce qu'il avait écrit précédemment : si, dans *Revolution* qu'il avait composée en 1968, il annonçait qu'il préférait être laissé à l'écart d'un mouvement populaire (*count me out*), sa position avait changée, et il voulait maintenant en faire partie. *Power to the People* se classa aux septième place en Angleterre et onzième aux États-Unis.

John et Yoko interrompirent pour un temps leur action politique et consacrèrent le printemps 1971 à l'action en justice qu'ils intentèrent – sans succès – dans le but d'obtenir la garde de Kyoko, la fille de Yoko. En juillet, ils étaient de retour sur la scène politique, et apportèrent leur soutien au magazine underground britannique *Oz*, puis manifestèrent (et apportèrent leur soutien financier) en faveur des mouvements de protestation en Irlande du Nord et de la grève du syndicat écossais de la construction navale.

Toujours en juillet, John Lennon trouva le temps d'enregistrer un nouvel album, « Imagine » qui sortit le 9 septembre 1971, six jours après l'arrivée et l'installation définitive aux États-Unis de John et Yoko. Lennon qualifia plus tard Imagine de « *John Lennon / Plastic Ono Band* enrobé de chocolat », exprimant sans doute l'idée qu'il y était un peu moins personnel et un peu plus accessible. L'album fut également beaucoup plus populaire et prit la tête des charts tant en Angleterre qu'aux États-Unis, tandis que le 45 tours

Page de gauche : durant l'année 1971, John et Yoko épousèrent de nombreuses causes politiques, dont celle de John Sinclair, le leader des White Panthers qui avait été condamné à dix ans de prison pour avoir été arrêté en possession de deux cigarettes de marijuana. John et Yoko jouent ici lors d'un meeting organisé dans le Michigan en soutien à Sinclair, en décembre 1971.

Ci-dessus : John à la console dans un studio d'enregistrement en 1971 à l'époque de l'album « Imagine ».

Ci-contre : Lennon en septembre 1971, peu après son arrivée à New York. Il allait y élire domicile et résiderait dorénavant aux États-Unis.

Page de gauche : John et Yoko devant les gratte-ciel de Manhattan, en 1972.

Ci-contre : Lennon, durant les concerts One to One, au Madison Square Garden de New York, le 30 août 1972. Ces deux concerts permirent de réunir un million et demi de dollars pour les enfants handicapés.

Ci-dessous : pour les concerts One to One, John Lennon fut accompagné par Yoko Ono et par le groupe Elephants Memory.

éponyme se classait en troisième place des charts américaines (*Imagine* ne sortit en 45 en Angleterre que bien plus tard). *Imagine* devint également la chanson la plus célèbre de la carrière solo de Lennon, et l'est encore aujourd'hui.

Ce succès fut suivi d'un autre 45 tours, dont la date de sortie est facile à deviner, puisqu'il s'agit de *Happy Xmas* (*War is Over*), soit Joyeux Noël (la guerre est finie), et qui prit la quatrième place des charts britanniques.

Une fois aux États-Unis, les Lennon s'intéressèrent à diverses causes politiques, et plus particulièrement au sort du leader radical John Sinclair, qui avait été condamné à dix ans de prison dans le Michigan pour possession de stupéfiants. John Lennon donna un concert le 10 décembre 1971 – sa première apparition sur une scène américaine en cinq ans – en soutien à John Sinclair, qui fut libéré quelques jours plus tard. Lennon joua ensuite à l'Apollo Theatre de New York, au profit des veuves des prisonniers tués en septembre 1971 lors de l'émeute qui eut lieu à la prison fédérale d'Attica. En février 1972, John et Yoko participèrent durant une semaine au *talk show* télévisé de Mike Douglas,

Ci-contre : la bataille juridique dans laquelle John Lennon dut s'engager afin d'obtenir le droit de rester aux États-Unis dura des années. Cette photo fut prise le 12 mai 1972 devant les bureaux du service d'immigration, à l'époque où le gouvernement américain s'efforçait de le faire expulser du pays.

programmé tous les après-midi, et y invitèrent le Yippie Jerry Rubin, et Bobby Seale des Black Panthers.

Les activités politiques de John Lennon ne furent pas aussi bien acceptées par le gouvernement américain qu'elles l'avaient été en Grande-Bretagne, et il commença, dès mars 1971, à rencontrer des difficultés avec le Bureau américain de l'immigration et des naturalisations. Ses avocats finirent par prouver que les raisons de ces problèmes étaient politiques, mais il fallut plus de cinq ans pour régler le litige.

Lennon ne se laissa pas pour autant intimider, et le prouva avec son nouveau 45 tours, *Woman Is the Nigger of the World* (La femme est le nègre du monde), qui sortit en avril, et atteignit la cinquante-septième place des charts américaines, malgré son titre provocateur. Le 12 juin 1972 sortit « Sometimes in New York City », un double album sur lequel alternaient, pour la première fois, les chansons qu'interprétaient John et Yoko. Le premier disque du double album réunissait les nouvelles compositions d'inspiration politique, comme *John Sinclair* et *Attica State*, tandis que le deuxième reprenait de vieilles bandes de concerts datant de 1969. *Sometimes in New York City* fut assez mal accueilli, tant par la critique que par le public. Il atteignit néanmoins la onzième place en Angleterre, tandis qu'il ne dépassait pas la quarante-huitième aux États-Unis.

Sometimes in New York City marque le point culminant de l'engagement politique de John Lennon et de Yoko Ono, même s'ils continuèrent de soutenir des œuvres de charité. Ils organisèrent ainsi deux concerts au Madison Square Garden le 30 août 1972, au profit des enfants handicapés (les concerts One to One). Ils parurent même au côté de Jerry Lewis lors du téléthon de septembre 1972.

Les Lennon se firent moins visibles durant la fin de

l'année 1972 et les trois premiers trimestres de 1973, produisant néanmoins les albums du groupe qui les accompagnait, Elephants Memory, ainsi qu'un double album de Yoko Ono, « Approximately Infinite Universe ». Ils consacrèrent une bonne partie de leur temps à s'opposer par tous les moyens légaux à l'expulsion de John par les services de l'immigration et firent tout de même quelques apparitions publiques pour des causes politiques, assistant notamment aux auditions sénatoriales de l'affaire du Watergate, à Washington DC, en juin.

Lennon ne sortit aucun album jusqu'à l'automne 1973, date à laquelle parut « Mind Games ». On y trouve quelques belles compositions, dont la chanson titre, qui rencontra un certain succès en 4 tours, et la superbe ballade *One Day (At a Time)*, mais l'album reste l'un des plus faibles de sa discographie. *Mind Game* fut tout de même bien accueilli par le public, grimpa en dixième place des charts américaines, et fut certifié disque d'or aux États-Unis.

C'est également à cette époque que fut annoncée une nouvelle surprenante : John Lennon et Yoko Ono s'étaient

Ci-contre : Mick Jagger, John, et May Pang, la maîtresse de Lennon à l'époque, au Century Plaza Hotel de Los Angeles, le 13 mars 1974, pour un hommage à James Cagney organisé par l'American Film Institute. John était alors séparé de Yoko. Après leur réconciliation, il fit toujours référence à cette période sous le nom de « week-end perdu ».

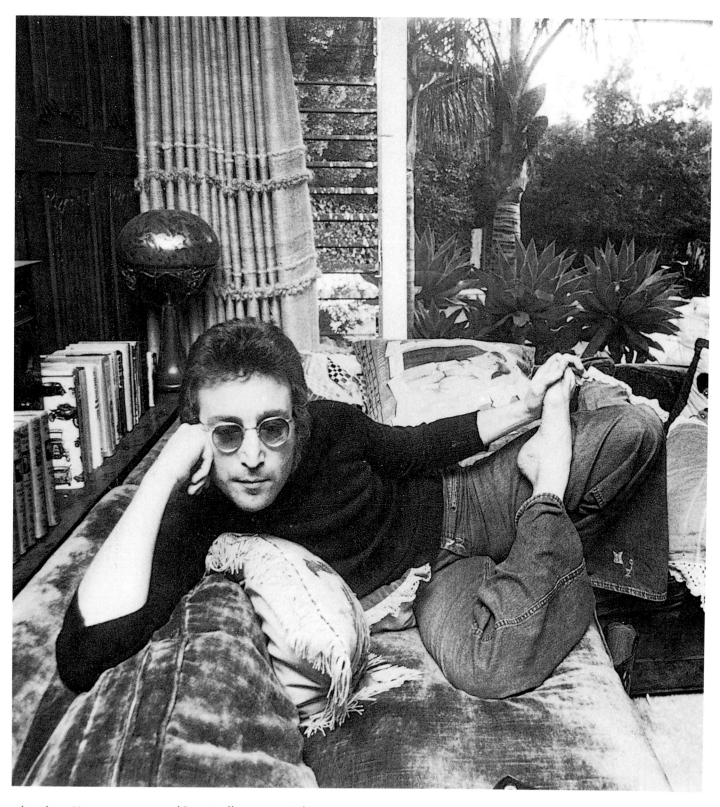

séparés. « Nous en avons parlé, puis elle m'a mis à la porte, voilà ce qui est arrivé », expliqua-t-il plus tard lors d'une interview. Il décrivit également cette période en disant qu'il s'agissait « d'un week-end perdu de dix-huit mois à Los Angeles, principalement consacré à l'alcool et à la débauche ».

À y regarder d'un peu plus près, il semble que ce commentaire soit une nette exagération. La séparation ne dura que quinze mois, et Lennon n'en passa que neuf à Los Angeles. Le temps que Lennon passa en Californie, avec des rock stars comme Harry Nilsson et Keith Moon, a dû effectivement être assez agité, mais sa production musicale durant cette période fut prodigieuse.

D'octobre à décembre 1973, Lennon travailla avec Phil Spector sur un album de reprises de standards du rock, qui fut un temps abandonné pour cause de dispute entre Lennon et Spector. De mars à mai 1974, Lennon produisit un album de Harry Nilsson, « Pussy Cats ». De juin à août, il

enregistra un nouvel album, « Walls and Bridges », sur lequel se trouvent les chansons *Whatever Gets You Through the Night* et *N°9 Dream*. En août, il aida Elton John à enregistrer sa version de *Lucy in the Sky with Diamonds*. En octobre, il termina l'album « Rock'n'roll », et, en janvier 1975, à l'époque de sa réconciliation avec Yoko, Lennon et Bowie composèrent, jouèrent et chantèrent le titre *Fame*. Le résultat de cette période fut donc trois 45 en tête des charts (*Whatever Gets You Through the Night*, *Lucy in the Sky with Diamonds*, et *Fame*), un album lui aussi en première place (« Mind Games »), et l'album « Rock'n'Roll ».

Malgré cette prouesse, Lennon considéra toujours cette période comme un « week-end perdu », parce qu'il n'était pas heureux. « Si vous écoutez « Walls and Bridges », vous entendez quelqu'un qui est déprimé », expliqua-t-il en 1980. Durant les années qui suivirent, cependant, ses fans n'entendirent plus grand-chose de lui.

Page de gauche : John Lennon dans l'appartement d'un ami, à Los Angeles, fin 1973 ou début 1974, alors qu'il se préparait à entrer en studio pour produire l'album de Hary Nilsson « Pussy Cats ».

Ci-dessous : le 28 novembre 1974, John Lennon rejoignit Elton John sur scène pour chanter trois titres avec lui. Ce fut sa dernière apparition en concert. Lorsqu'il retourna en coulisses, il y rencontra Yoko Ono, et c'est également de ce jour que date leur réconciliation.

(Just Like) Starting Over, 1975-1980

Ci-contre : **John et Yoko (accompagnés ici de Roberta Flack) firent leur unique apparition publique en dix-sept mois le 1er mars 1975, lors de la cérémonie de remise des Grammy Awards, à New York.**

En bas à droite : **n'en croyez pas vos yeux, il s'agit d'un photomontage fait à partir d'une photo de Lennon prise lors des Grammy Awards en 1975 et d'un cliché de Presley datant du 9 juin 1972. En fait, John Lennon et Elvis Presley ne se sont rencontrés qu'une seule fois, le 27 août 1965, et aucune photo ne fut prise.**

Le 16 novembre 1974, *Whatever Gets You Through the Night* atteignit le sommet des charts américaines. Or, John Lennon avait promis à Elton John (qui chante avec lui sur le disque) que, si cela arrivait, il le rejoindrait sur scène au Madison Square Garden pour chanter avec lui. Lennon tint sa promesse : il rejoignit Elton John sur scène le 28 novembre 1974, et tous deux interprétèrent trois titres : *Whatever Gets You Through the Night, I Saw Her Standing There*, et *Lucy in the Sky with Diamonds*.

Lennon rejoignit ensuite les coulisses, où se trouvait Yoko Ono. Ils se revirent à plusieurs reprises et se réconcilièrent définitivement en janvier, Lennon réintégrant alors l'appartement de Dakota Building 2 Manhattan que tous deux partageaient en 1973 et 1974. Yoko fut enceinte peu de temps après.

Personne ne pouvait alors se douter que ces événements mèneraient à une retraite durable de John Lennon. L'album « Rock'n'Roll » sortit en février 1975 et grimpa jusqu'à la sixième place des charts américaines, sans pour autant connaître le succès commercial des meilleurs albums de Lennon. Le 1er mars, John et Yoko se rendirent à la cérémonie des Grammy Awards. En avril, Lennon donna une interview lors de 1'émission télévisée britannique « Old Grey Whistle Test », puis une autre lors du show américain « Tonight ». Le 13 juin, Lennon chanta *Slippin' and Slidin'* et *Imagine* lors de 1'émission « Salute to Lew Grade », mais ce fut sa dernière interprétation en public.

Lennon consacra le reste de l'année à ses procès, dont un avec Morris Levy, un responsable d'une maison de disques qui avait publié une compilation de Lennon sans

Ci-contre : David Bowie, Yoko Ono et John Lennon lors de la cérémonie de remise des Grammy Awards, le 1er mars 1975, soit neuf jours avant la sortie de l'album de Bowie « Young Americans », sur lequel on trouverait une reprise de *Across the Universe,* avec Lennon à la guitare, et *Fame,* une composition de David Bowie, John Lennon et Carlos Alomar, qui décrocherait la première place des charts en septembre.

autorisation, aux recours en appel concernant sa possible expulsion par les services de l'immigration, ainsi qu'à attendre la naissance de son enfant. L'événement eut lieu le jour de l'anniversaire de Lennon, le 9 octobre, et Yoko donna le jour à un garçon qui reçut le nom de Sean Taro Ono Lennon.

Le 24 octobre, une compilation des meilleurs titres de Lennon, *Shaved Fish*, sortit, et resta plus de six mois dans les charts, tant en Angleterre qu'aux États-Unis. En Angleterre, *Imagine* sortit finalement en 45 tours : la chanson prit immédiatement la sixième place des charts.

Le rythme soutenu de ces sorties s'explique en partie par le fait que le contrat des Beatles avec EMI arrivait à échéance à la date fatidique du 26 janvier 1976. Les trois autres Beatles signèrent aussitôt un autre contrat, mais pas Lennon. Pour la première fois depuis quatorze ans, il ne devait d'album à personne.

En avril 1976, pourtant, Lennon entra en studio et joua du piano sur la chanson *Cookin'* (*in the Kitchen of Love*) qu'il avait écrite pour Ringo Starr. Il ne devait plus rien enregistrer pendant plus de quatre ans.

Le 27 juillet, la bataille de Lennon avec les services de l'immigration se termina enfin, et il obtint la célèbre « carte verte », qui lui permettait de vivre et de travailler

aux États-Unis. Tandis que passait l'année 1976, il semblait ne rien faire d'autre que de se consacrer à sa famille. Comme il l'expliqua plus tard, il s'occupait de son fils et apprenait, entre autres choses, à faire du pain.

John et Yoko firent pourtant une apparition publique le 20 janvier 1977, lorsqu'ils participèrent à la soirée de gala donnée en l'honneur du nouveau président des États-Unis, Jimmy Carter. Puis ils firent un voyage au Japon à l'automne, durant lequel ils donnèrent quelques précisions lors d'une conférence de presse. « Nous avons décidé, expliqua Lennon, sans que la décision soit vraiment formelle, de nous consacrer à notre fils, ce jusqu'au moment où nous aurons l'impression qu'il nous est de nouveau possible d'avoir des activités extra-familiales. Nous attendrons peut-être qu'il ait trois ans, ou quatre, ou cinq, puis nous réfléchirons à l'éventualité de créer quelque chose d'autre que l'enfant. »

Ce fut exactement ce qui arriva, même si l'inquiétude et les interrogations du public furent telles qu'elles amenèrent les Lennon à acheter en mai 1979 une page dans le *New York Times* pour dissiper les conjectures.

Il se passa encore une année avant que les Lennon n'aient l'impression qu'ils pouvaient « consacrer une partie de leur temps à des activités extra familiales », et refaire de la musique. Il s'était alors écoulé plus de cinq ans depuis

son dernier enregistrement. À cette époque et s'agissant d'un tel artiste, cela semblait être une éternité, même si, avec du recul et au vu de la carrière d'autres rock-stars de sa génération ou plus jeunes, cela ne paraît pas si long.

Cela dit, si les musiciens enregistraient en moyenne deux albums par an dans les années soixante – c'est ce que firent les Beatles –, puis un seul dans les années soixante-dix – ce que fit Lennon jusqu'en 1975 –, dès la fin des années soixante-dix, l'écart entre deux albums étaient devenu de plus en plus long, sans que la carrière de l'artiste ne s'en ressente. Ainsi, Paul Simon laissa cinq années s'écouler entre « Still Crazy After All These Years » (1975) et « One-Trick Pony » (1980). John Fogerty, l'ancien leader de Creedence Clearwater Revival, attendit dix ans entre deux albums (de 1975 à 1985), et plaça *Centerfield* en tête des charts. Une fois entré dans les années quatre-vingt, les cinq années qui séparèrent les deux albums « Bad » et « Thriller » de Michael Jackson n'étonnaient plus personne.

Mais le public n'accorde pas la même importance à tous les artistes. Paul Simon peut bien passer cinq ans dans son appartement new-yorkais et Michael Jackson s'enfermer dans son parc d'attraction, les fans de John Lennon avaient, quant à eux, suivi sa carrière et sa vie privée depuis le début des années soixante, et son inactivité ne

pouvait passer inaperçue, d'autant moins que des conférences de presse occasionnelles et quelques articles dans les journaux aiguisaient régulièrement leur appétit.

Tout cela pour dire que Lennon, même dans sa retraite, était resté un maître manipulateur des médias. Lorsque lui et Yoko retournèrent en studio en août 1980, ils étaient prêts à assurer le lancement de leur album par une campagne de publicité fondée sur la fascination que leurs cinq années de silence avaient engendrée.

Le silence fut brisé avec fracas, et John et Yoko donnèrent de longues interviews à *Playboy* et à *Newsweek*, dans lesquelles ils analysèrent leur vie et leur carrière de manière approfondie. Les journalistes furent invités à assister aux enregistrements dans les studios Hit Factory et Record Plant. Au bout d'un mois, le monde entier savait que John et Yoko étaient de retour en studio.

Le public eut à peine le temps de s'impatienter et put entendre leur musique durant la dernière semaine d'octobre 1980, lorsque sortit le 45 tours (*Just Like*) *Starting Over*, une chanson qui confirmait les racines de Lennon dans le rock and roll et évoquait son retour à l'avant-scène à l'âge de quarante ans, à travers une histoire d'anciens amants qui renouent. On ne pouvait rêver mieux que cette chanson pour un retour de John Lennon, et le 45 connut

une ascension fulgurante dans les charts du monde entier.

L'album « Double Fantasy » suivit rapidement, et sortit le 17 novembre. Tout comme dans « Sometimes in New York City », John et Yoko y alternaient les interprétations, et l'album ne comprend donc que sept compositions de John sur les quatorze titres. Dans les interviews de l'époque, que John et Yoko donnèrent en commun, Lennon ne laissa pas planer le moindre doute sur le fait qu'ils entendaient dorénavant continuer sur cette voie, puis défendit Yoko Ono en tant qu'artiste, comme il l'avait déjà fait à plusieurs reprises depuis la fin des années soixante.

La déception du public de ne trouver que sept titres de Lennon fut légèrement amoindrie par l'amélioration sensible des compositions de Yoko, plus pop que précédemment, et par l'évolution de ses interprétations, puisque, cette fois-ci au moins, elle chantait au lieu de hurler. Ses chansons n'avaient pas la tenue de celles de son époux, mais elles n'étaient plus source de gêne comme par le passé.

Lennon, de son côté, offrait sa plus belle collection de chansons depuis *Imagine*, dont *Woman*, une chanson féministe très proche de l'ambiance Beatles, *Watching the Wheels*, inspirée par ses cinq années d'absence, et *Beautiful Boy*, dédiée à son fils Sean.

Le succès de « Double Fantasy » fut immédiat. Tout en se mettant au travail sur un nouvel album, John et Yoko donnèrent un nombre considérable d'interviews et de nombreuses séances photo. Ainsi, le jour de l'assassinat de John, le 8 décembre 1980, ils avaient donné une interview à la radio RKO, posé pour une séance photo pour le magazine *Rolling Stone*, et enregistré en studio une chanson de Yoko, *Walking on Thin Ice*.

Les ventes, déjà excellentes, de l'album « Double Fantasy » et du 45 *Starting Over* atteignirent évidemment des sommets, et *Starting Over* fut la meilleure vente de 45 de Lennon post-Beatles. Mais ce succès et celui des autres 45 qui furent extraits de l'album début 1981 sont surtout le signe de l'amour qu'avait le monde entier pour la musique de John Lennon, et de l'immense affliction qu'avait créée l'annonce de sa mort. Tout comme il est logique que l'album le plus vendu des Beatles soit « Abbey Road », le dernier qu'ils aient enregistré, il est normal que le dernier disque de Lennon ait un tel succès, puisque cet album prouve que Lennon possédait pleinement son art à l'époque de sa mort. Lennon a toujours répété que l'essence des artistes qu'il adorait dans sa jeunesse, ainsi, d'ailleurs, que celle des Beatles, pouvait toujours être retrouvée en écoutant leurs disques. Lorsque, durant ses dernières interviews, des journalistes lui demandaient des détails sur son passé, lui leur demandait quel album il avait sorti à l'époque. Son œuvre, de *Love Me Do* à *Woman*, est déjà imposante, mais lui-même disait qu'il aurait encore besoin de quarante à cinquante années pour la terminer, et le plus grand regret que l'on puisse avoir, après la perte de l'homme, est que nous n'entendrons jamais ces chansons-là.

Strawberry Fields Forever, depuis 1980

À la mort de John Lennon, sa veuve, Yoko Ono, hérita automatiquement de la charge de son patrimoine. Elle poursuivit tout d'abord sa propre carrière et enregistra des compositions inspirées par sa vie avec Lennon. En février 1981, elle publia le 45 tours *Walking on Thin Ice*, sur lequel elle et John avaient travaillé la nuit précédant sa mort. Le 45 eut un certain succès et fut son seul *single* à entrer dans les charts. En juin, elle sortit « Season of Glass », un album enregistré quelques mois plus tôt, qui comprenait des titres comme *Goodbye Sadness*, et dont la pochette représentait les lunettes de John tachées de sang. L'album grimpa dans les charts jusqu'à la quarante-neuvième place et fut sa meilleure vente. Son successeur, « It's Alright (I See Rainbows) », sortit en décembre 1982.

Le premier album posthume de John Lennon, « The John Lennon Collection », sortit à l'automne 1982. Il repre-

Ci-contre : après la mort de son mari, Yoko Ono tenta tout d'abord de poursuivre sa carrière en solo, mais consacra bien vite plus de temps à l'héritage artistique de Lennon qu'à sa propre musique.

Ci-dessus : Julian Lennon à côté du panneau que l'on pouvait voir au dos de l'album « Abbey Road ». Le premier fils de Lennon poursuivit un temps une carrière musicale, et son premier album, « Valotte », sorti en 1984, se vendit assez bien.

Ci-contre : Julian et Sean Lennon se joignent à Yoko Ono, Ringo Starr, et George Harrison, lors de l'intronisation des Beatles au Rock & Roll Hall of Fame le 20 janvier 1988.

naît des 45 de Lennon et des morceaux de « Double Fantasy ». Mais il fallut attendre les derniers mois de l'année 1983 pour enfin voir paraître des bandes inédites, à commencer par « Heart Play », un album fait d'interviews du couple datant de 1980. En janvier 1984 sortit « Milk and Honey », un album de douze titres, dont six chansons enregistrées par Lennon à l'automne 1980.

Bien que certaines de ces bandes ne soient que des maquettes, les compositions sont du niveau de « Double Fantasy ». *Nobody Told me* et *I'm Stepping Out* furent extraites et sortirent en 45 tours, et l'album fut certifié disque d'or. À l'automne 1984, Yoko Ono publia un album en hommage à John Lennon, « Every Man Has a Woman », sur lequel apparaissaient de nombreux artistes. La chanson titre était interprétée par John Lennon et provenait des bandes de 1980.

En 1985, Yoko Ono revint à sa carrière solo et enregistra l'album « Starpeace », qui sortit en octobre, mois durant lequel une partie de Central Park, proche du Dakota Building, fut officiellement rebaptisée Strawberry Fields. Yoko tenta d'assurer la promotion de son album en enregistrant une vidéo pour le titre *Hell in Paradise*, et prépara une tournée en

février 1986. Mais l'album fut un échec, et la tournée fut abrégée. Même à New York, le concert prévu au Radio City Music Hall en avril dut être annulé, et Yoko joua finalement au Beacon Theatre une salle plus modeste. Sa carrière musicale s'interrompit à la fin de sa tournée, pour ne reprendre qu'en 1992 ; lorsque sa maison de disques publia l'intégrale de son œuvre en coffret, ainsi qu'une compilation.

Yoko revint aux bandes de Lennon. En février 1986, John Lennon : *Live in New York City*, un concert enregistré en août 1972, sortit en album et en vidéo. L'album se plaça en quarante et unième place des charts, prouvant qu'il existait encore un public pour la musique de Lennon. Il fut suivi en novembre par « Menlove Ave. », un album consistant de morceaux inédits datant des séances d'enregistrement de « Walls and Bridges » et de « Rock'N'Roll ». Le 8 décembre 1986, date anniversaire de la mort de Lennon, parut *Skywriting by Word of Mouth*, le premier livre de Lennon publié depuis vingt ans.

1987 fut une année paisible, mais, en janvier 1988, la radio Westwood One, dont les programmes sont revendus à d'autres stations à travers les États-Unis, passa à l'an-

tenne la première d'une série d'émissions intitulée « The Lost Lennon Tapes », rendant publiques des centaines de bandes inédites. Le programme devait à l'origine durer cinquante-deux fois une heure, mais se poursuivit une fois les inédits épuisés. Il devint une sorte d'hommage généralisé à l'ancien Beatle et existait encore quatre ans plus tard. Bizarrement, très peu de ces bandes furent publiées en album, ce qui offrit aux pirates une occasion en or de rééditer tout ce matériel.

Le double album « Imagine : John Lennon » sortit en octobre 1988. Il s'agissait de la bande-son d'un documentaire sur la vie de l'ex-Beatle, qui comprenait un inédit, *Real Love*, et une version d'*Imagine* datant des répétitions de l'album. Le double étant très proche d'une compilation des meilleurs morceaux de Lennon qui inclurait l'époque des Beatles, ce fut un succès, et il fut certifié disque d'or dès les premiers mois de 1989.

Le 23 octobre 1990, Capitol Records sortit un coffret de quatre CD reprenant toute la carrière solo de Lennon. Le coffret ne comprenait aucun inédit et attira d'autant moins l'attention que la série « The Lost Tapes » avait largement prouvé qu'on ne pouvait le qualifier d'« intégrale ».

Il est probable que ces bandes soient publiées dans les années qui viennent. De toutes façons, les années qui se sont écoulées depuis la disparition de Lennon ont tout de même permis de découvrir quelques perles oubliées de son œuvre, qui nous ont rappelé la qualité de l'ensemble. Quinze ans après sa mort, personne n'a oublié John Lennon : des concerts sont organisés en son hommage, d'autres artistes reprennent ses chansons, et tant ses enregistrements que ceux des Beatles continuent de se faire entendre, perpétuant le message de paix et d'amour qu'il a chanté durant toute sa vie.

75

Discographie

Il s'agit, sauf indication contraire, de la discographie originale, et donc britannique.

LES BEATLES

45 tours :
Les enregistrements sortis chez Polydor, quelle que soit leur date de sortie, proviennent des sessions de Hambourg avec Tony Sheridan et sont antérieurs à Love Me Do.

My Bonnie / When the Saints (Tony Sheridan et les Beatles), Polydor, 1962
Love Me Do / P.S. I Love You, Parlophone, 1962
Please Please Me / Ask Me Why, Parlophone, 1963
From Me to You / Thank You Girl, Parlophone, 1963
She Loves You / I'lll Get You, Parlophone, 1963
I Want to Hold Your Hand / This Boy, Parlophone, 1963
Sweet Georgia Brown / Nobody's Child (Tony Sheridan et les Beatles), Polydor, 1964
Why / Cry for a Shadow (Tony Sheridan et les Beatles), Polydo, 1964
Can't Buy Me Love / You Can't Do That, Parlophone, 1964
Ain't She Sweet / Jove Me Baby (Tony Sheridan et les Beatles), Polydor, 1964
A Hard Day's Night / Things We Said Today, Parlophone, 1964
I Feel Fine / She's a Woman, Parlophone, 1964
If I Fell / Tell Me Why, Parlophone, 1965
Ticket to Ride / Yes It Is, Parlophone, 1965
Help! / I'm Down, Parlophone, 1965
We Can Work It Out / Day Tripper, Parlophone, 1965
Paperback Writer / Rain, Parlophone, 1966
Yellow Submarine / Eleanor Rigby, Parlophone, 1966
Penny Lane / Strawberry Fields Forever, Parlophone, 1967
All You Need Is Love / Baby You're a Rich Man, Parlophone, 1967
Hello Goodbye / I Am the Walrus, Parlophone, 1967
Lady Madonna / The Inner Light, Parlophone, 1968
Hey Jude / Revolution, Apple, 1968
Get Back / Dont Let Me Down, Apple, 1969
The Ballad of John and Yoko / Old Brown Shoe, Apple, 1969
Something / Come Together, Apple, 1969
Let It Be / You Know My Name (Look Up My Number), Apple, 1970
The Beatles Single Collection (coffret regroupant tous les 45 tours originaux des Beatles), Parlophone, 1982

Albums :
Please Please Me, Parlophone, 1963
With the Beatles, Parlophone, 1963
The Beatles' First, Polydor, 1964
A Hard Day's Night, Parlophone, 1964
Beatles For Sale, Parlophone, 1964
Help!, Parlophone, 1965
Rubber Soul, Parlophone, 1965
Revolver, Parlophone, 1966
A Collection of Beatles Oldies, Parlophone, 1966
Sgt Pepper's Lonely Hearts Club Band, Parlophone, 1967
The Beatles, Apple, 1968
Yellow Submarine, Apple, 1969
Abbey Road, Apple, 1969
Let It Be, Apple, 1970

Albums des Beatles parus après leur séparation :
The Beatles 1962-1966 (album rouge), Apple, 1973
The Beatles 1967-1970 (album bleu), Apple, 1973
Rock'n'Roll Music, Parlophone, 1976
Magical Mystery Tour, Parlophone, 1976
The Beatles Livel At the Star Club in Hamburg, Germany, 1962
Lingasong 1977
Love Songs, Parlophone, 1977

The Beatles Collection (coffret rassemblant tous les albums originaux des Beatles), Parlophone, 1978
Rarities, Parlophone, 1979
Hey Jude, Parlophone, 1979
The Beatles Ballads, Parlophone, 1980
The Beatles Box (coffret compilation en huit disques), Parlophone, 1980
Reel Music, Parlophone, 1982
20 Greatest Hits, Parlophone, 1982
Past Masters volume One, Parlophone, 1988
Paster Masters volume Two, Parlophone, 1988

Les albums américains :
Parce que les anglais publiaient des albums de quatorze titres qui ne reprenaient pas les 45 tours, alors que les Américains publiaient des albums ds douze titres avec les 45, la discographie américaine est différente de l'originale jusqu'à Revolver *inclus, et le contenu des albums est différent même lorsque le titre de l'album est le même. À partir de* Sgt Pepper, *les albums sont les mêmes, et il n'y a pas lieu de les répéter ici.*

Meet the Beatles!, Capitol, 1964
The Beatles' Second Album, Capitol, 1964
A Hard Day's Night, United Artists, 1964
Something New, Capitol, 1964
Beatles'65, Capitol, 1964
The Early Beatles, Capitol, 1965
Beatles VI, Capitol, 1965
Help!, Capitol, 1965
Rubber Soul, Capitol, 1965
Yesterday... and Today, Capitol, 1965
Revolver, Capitol, 1966
Magical Mystery Tour, Capitol, 1967

Les albums français :
La discographie française correspond à la discographie originale, à l'exception de quelques compilations particulières au marché français, et du titre des premiers 33 tours :

Please Please Me : N°1
With the Beatles. Les Beatles
A Hard Day's Night : Quatre Garçons dans le vent
Beatles For Sale : 1965

Ces titres ont été abandonnés depuis bien longtemps, et les CD sont sortis sous les titres originaux.

JOHN LENNON

45 tours :
How I Won the War (attribué à Musketeer Gripweed and the Third Troop) / *Aftermath,* United Artists, 1967
Give Peace a Chance / Remember Love (Plastic Ono Band), Apple, 1969
Cold Turkey / Don't Worry Kyoko (Mummy's Only Looking for a Hand in the Snow) (Plastic Ono Band), Apple, 1969
Instant Karma! (We All Shine On) (John Ono Lennon & The Plastic Ono Band) / *Who Has Seen the Wind ?* Yoko Ono Lennon & The Plastic Ono Band), Apple, 1970
Power to the People (John Lennon Plastic Ono Band) / *Open Your Box* (Yoko Ono Plastic Ono Band), Apple, 1971
Happy Xmas (The War Is Over) John Lennon & Yoko Ono Plastic Ono Band avec le Harlem Community Choir) / *Listen, The Snow Is Falling* (Yoko Ono Plastic Ono Band), Apple, 1971
Mind Games / Meat City, Apple, 1973
Whatever Gets You Through the Night / Beef Jerky (John Lennon & The Plastic Ono Nuclear Band), Apple, 1974
N° 9 Dream / What You Got, Apple, 1975
Stand By Me / Move Over Ms L, Apple, 1975
Imagine / Working Class Hero, Apple, 1975
(Just Like) Starting Over / Kiss Kiss Kiss (John Lennon & Yoko Ono), Geffen, 1980
Woman / Beautiful Boy (John Lennon & Yoko Ono), Geffen, 1981
Watching the Wheels / (Yes) I'm Your Angel (John Lennon & Yoko Ono), Geffen, 1981
Love / Give Me Some Truth, Parlophone, 1982
Nobody Told Me / O'Sanity (Face B : Yoko Ono), Polydor, 1983
Borrowed Time / Your Hands (Face B : Yoko Ono), Polydor, 1984
Jealous Guy, Parlophone, 1985

Albums :
Unfinished Music N°I - Two Virgins (John Lennon & Yoko Ono), Apple, 1968
Unfinished Music N°2 - Life with the Lions (John Lennon & Yoko Ono), Apple, 1969
Wedding Album (John Ono Lennon & Yoko Ono Lennon), Apple, 1969

The Plastic Ono Band - Live Peace In Toronto (Plastic Ono Band), Apple, 1969
John Lennon/Plastic Ono Band (John Lennon Plastic Ono Band), Apple, 1970
Imagine (John Lennon Plastic Ono Band with the Flux Fiddlers), Apple, 1971
Sometimes in New York City (John Lennon & Yoko Ono Plastic Ono Band avec Elephants Memory et the Invisible Strings / John Lennon & Yoko Ono avec le Plastic Ono Supergroup / John Lennon & Yoko Ono Plastic Ono Band avec Frank Zappa and the Mothers of Invention), Apple, 1972
Mind Games (John Lennon & the Plastic Ono Band), Apple, 1973
Walls and Bridges (John Lennon & The Plastic Ono Nuclear Band), Apple, 1974
Rock'n'Roll, Apple, 1975
Shaved Fish, Apple, 1975
Double Fantasy (John Lennon & Yoko Ono), Geffen, 1980
The John Lennon Boxed Set, Parlophone, 1981
The John Lennon Collection, Parlophone, 1982
Heart Play (John Lennon & Yoko Ono), Polydor, 1983
Milk and Honey (John Lennon & Yoko Ono), Polydor, 1984
Live in New York City, Parlophone, 1986
Lennon, Parlophone, 1990

Albums disponibles uniquement en pressage américain :
Menlove Ave, Capitol, 1986
Imagine : John Lennon, Capitol, 1988